El
poder
curativo
de las
FRUTAS

Adelaida de la Rua

El poder curativo de las FRUTAS

intermedio

*Este libro tiene como objetivo ofrecer información
que le permita al lector tomar decisiones sobre su salud.
No pretende sustituir la atención médica ni debe utilizarse
como un manual para autotratamiento.
Si usted sospecha que tiene un problema médico,
le recomendamos buscar ayuda profesional lo antes posible.*

Editor general: Gustavo Mauricio García Arenas
Editora asistente: Mónica Roesel M.
Producción: Ricardo Iván Zuluaga C.
Diseño y diagramación: Claudia M. Vélez G.
Diseño de carátula: Harvey Rodríguez S.
Corrección tipográfica: Jesús E. Delgado
Ilustraciones: Édgar Caballero y Juan Pablo Vergara

Licencia de Editorial Printer Latinoamericana Ltda.
para Círculo de Lectores S.A.
Avenida Eldorado No. 79-34
Santafé de Bogotá, Colombia

Impresión y Encuadernación: Stilo Impresores Ltda.
ISBN: 958-28-1062-9
    E F G H I J

Quisiera dar las gracias a todos aquellos que compartieron
la idea de hacer esta obra y que apoyaron mi trabajo con
sus libros, consejos y experiencias. Entre ellos se encuentran
Beatriz de Cardona, Sofía Moncayo C., Blanca de Ortiz,
la familia Pabón Chaves, Hugo D'amato, Lácydes
Moreno y Marlén Ayure. Y también Carmenza y Olga.

A los lectores y correctores que se enfrentaron a la tarea
de revisar el manuscrito y enriquecerlo con su trabajo.
Por su paciencia y dedicación, mi más sincera gratitud.
De igual forma, quiero agradecer a los editores,
quienes compartieron conmigo unas deliciosas
tardes de frutas.

A. DE LA RUA

CONTENIDO

*Un hombre puede considerarse feliz cuando
aquello que constituye su alimentación
también es su medicina.*

Thoreau

*Necesitamos los árboles para mejorar
la calidad de vida; ayúdenme todos
a hacer cada día más grande
el círculo de amigos de los árboles.*

Indira Gandhi

Introducción

Frescas, en conserva, deshidratadas o congeladas, las frutas están por todas partes. No importa si hace frío o calor, si vivimos en el campo o en la ciudad, o si nuestro presupuesto es holgado o ajustado. Nos son tan familiares que las utilizamos hasta como referencia: damos la "vuelta a la manzana" y a veces nos sentimos "más amargos que un limón" o tenemos nostalgia del "olor de la guayaba".

Acudimos a las frutas en busca de experiencias gastronómicas o simplemente porque nos gustan. Ellas están allí para que las disfrutemos. Sin embargo, desconocemos casi por completo su poder. Son un tesoro de la naturaleza al alcance de la mano; si sabemos aprovecharlo, puede mejorar nuestro diario vivir.

Todos, en algún momento de la vida, hemos experimentado con algún remedio natural: una infusión, un emplasto, un jugo o, simplemente, una planta fresca. Muchas fórmulas para curar los padecimientos más comunes nos han sido transmitidas por madres y abuelas sin ninguna explicación científica. Usamos estos conocimientos sin detenernos a reflexionar, sólo sabemos que funcionan.

Hoy conocemos cuáles elementos de la naturaleza nos sirven pero, además, gracias a los análisis químicos, entendemos el porqué. Los estudios pueden identificar las vitaminas, los minerales y los aceites contenidos en una planta, así como sus proporciones. Lo que antes era comprobado por la experiencia, hoy puede ser verificado, ampliado y mejorado gracias a los instrumentos desarrollados por el hombre.

Muchos remedios caseros y naturales funcionan gracias a sus componentes. Sabemos, por ejemplo, que el magnesio ayuda a alejar el insomnio, a aliviar el nerviosismo, a controlar los calambres musculares y a aumentar la tolerancia al ruido. Cuando descubrimos que una fruta produce estos efectos, descubrimos también, entre otras cosas, que es rica en magnesio.

Y si algo no funciona, quizá se erró en el diagnóstico, o puede ser que haya equivocación en las dosis o en la selección de la fruta. Pero si padece una enfermedad como amigdalitis, por ejemplo, y piensa que su remedio casero lo va a salvar de una intervención quirúrgica, está equivocado. Por favor, no deseche la medicina moderna. Todos necesitamos lo mejor de la naturaleza, pero también lo mejor del hombre.

Este libro es, pues, un viaje por un mundo colorido y fascinante en búsqueda de nuevos conocimientos. Incluye investigaciones y experiencias de todo tipo: científicas, antropológicas, naturales y de la tradición familiar. Es un texto de consulta que puede hacerle compañía y guiarlo hacia mejores opciones de vida.

Por último, quisiera invitarlo a compartir mi entusiasmo por este nuevo universo, a participar de los beneficios que nos ofrecen las frutas y a hacerlas parte de su cotidianidad. Espero que sea un punto de partida para investigar, experimentar y encontrar nuevas formas de aplicación de las frutas. Y, por favor, no olvide compartir sus hallazgos con todos nosotros.

A. DE LA RUA

EL PODER NUTRITIVO
DE LOS ALIMENTOS

EL PODER NUTRITIVO DE LOS ALIMENTOS
Unas palabras sobre la importancia de una dieta equilibrada

Cuando se tiene un buen estado físico, se puede disfrutar la vida al máximo. Pero, ¿qué es un buen estado físico? En general se define como la medida de la capacidad de una persona para realizar una tarea física particular. Podemos hacer muchas cosas diferentes porque el corazón y los pulmones están sanos y poseen resistencia; nuestros músculos tienen fuerza y flexibilidad y el conjunto de nuestro cuerpo funciona con equilibrio y coordinación.

Comer es mucho más que consumir una sustancia nutritiva; es también una experiencia que nos relaciona social y culturalmente. Por esta razón, el concepto de lo que es "alimento" varía con las regiones, los países y los continentes. Los hábitos alimentarios se pasan de padres a hijos. Conocer cuáles de estas tradiciones contribuyen a nuestra salud y cuáles necesitan ser modificadas es importante para nuestro desarrollo.

Las siguientes páginas buscan proveer un mayor conocimiento de las sustancias que necesita nuestro cuerpo para mantenerse saludable. Como es de esperarse, la mayor parte de la información está relacionada con los componentes de las frutas y la manera como podemos utilizarlos en nuestro beneficio. Esto no quiere decir que la buena nutrición depende únicamente de las frutas. Ellas son una parte fundamental de nuestras vidas, enriquecen nuestra dieta y contribuyen a la buena salud, pero deben complementarse con alimentos de otro tipo.

Una última idea: conozca su cuerpo y aprenda a leer los mensajes que le manda. Esté atento a las reacciones de su organismo frente a los diferentes alimentos: lo que es bueno para algunos, no lo es tanto para otros. Procure, entonces, crearse el hábito de una dieta equilibrada y variada, el camino más seguro hacia una salud integral.

LAS SUSTANCIAS DEL CUERPO

LOS MACRONUTRIENTES
Son sustancias que el cuerpo necesita en gran cantidad para la salud y el crecimiento. Hay tres tipos de macronutrientes: los hidratos de carbono, las grasas y las proteínas.

Los hidratos de carbono
Son la principal fuente de energía del cuerpo y se miden en calorías; se encuentran en los azúcares y los almidones.

Los primeros se denominan simples; dentro de ellos se cuentan la sacarosa (azúcar de caña o remolacha) y la lactosa (leche). Los segundos se denominan complejos y se encuentran en los cereales, las papas y las legumbres. Todos ellos, cuando no están refinados, contienen vitaminas, minerales y fibra. Los hidratos de carbono complejos constituyen un suministro constante de energía, mientras que los simples nos proporcionan energía inmediata. Es importante tener en cuenta que si los azúcares se ingieren en cantidades muy pequeñas, la energía del cuerpo disminuye y la cantidad de grasa acumulada tiende a aumentar.

Las grasas

Son, al igual que los hidratos de carbono, fuente de energía, pero tienden a almacenarse primero en el cuerpo. Por su concentración, suelen tener muchas calorías. Las grasas están esencialmente formadas por ácidos grasos, indispensables para que las células funcionen bien. Estos ácidos se dividen en tres categorías: saturados (los que provienen de grasas animales y de los lácteos), monoinsaturados (como el aceite de oliva) y poliinsaturados (como las grasas vegetales). Aunque las grasas tienen un valor calórico similar, se les denomina "buenas" o "malas" según provoquen o no enfermedades coronarias.

Desde este punto de vista, podemos decir que las grasas saturadas son "malas" y las poliinsaturadas y monoinsaturadas "buenas" (estas últimas, siempre y cuando sean ingeridas en pequeñas cantidades y sin calentar). Algunos investigadores

ALGUNAS FRUTAS RICAS EN GRASA "BUENA" PARA LAS ARTERIAS	
FRUTA	% DE GRASA MONOINSATURADA
Avellana	81
Aguacate	80
Aceite de oliva	72
Almendra	71

Fuente: Departamento de Agricultura de Estados Unidos.

señalan que es posible que el consumo en exceso de cualquier tipo de grasa contribuya a la aparición del cáncer.

La siguiente ilustración representa las proporciones de grasas en diferentes aceites y en la mantequilla.

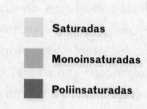

Saturadas

Monoinsaturadas

Poliinsaturadas

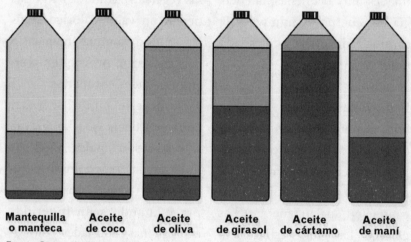

| Mantequilla o manteca | Aceite de coco | Aceite de oliva | Aceite de girasol | Aceite de cártamo | Aceite de maní |

Fuente: Stoppard: 136.

Las proteínas

Son grupos de aminoácidos que constituyen el elemento principal de las células y los tejidos, razón por la cual se les conoce como los ladrillos del cuerpo. Existen 23 aminoácidos diferentes, ocho de los cuales —los llamados aminoácidos esenciales— no pueden ser fabricados por el cuerpo. Las proteínas que contienen buena cantidad de estos ocho aminoácidos (por ejemplo, las que se encuentran en la carne, el queso y la soja) se denominan proteínas completas.

Las proteínas que carecen de cantidades suficientes (por ejemplo, las presentes en las legumbres, el arroz y las nueces) se conocen como incompletas. Cuando estas últimas se incluyen de forma combinada en la dieta, pueden satisfacer los requerimientos completos de aminoácidos del cuerpo.

LOS MICRONUTRIENTES

En este libro he querido referirme de manera muy general a los factores nutricionales que ayudan a mantener una buena condición física. Como se trata de un tema muy importante, le sugiero ampliar sus conocimientos con toda la literatura que pueda encontrar al respecto. Los micronutrientes son sustancias esenciales para conservar un buen estado de salud, aunque el cuerpo las necesita en pequeñas cantidades. Se dividen en dos: los minerales y las vitaminas.

LAS VITAMINAS

Son estructuras complejas solubles en agua o en grasa. Las vitaminas del complejo B y la vitamina C son solubles en agua, y su exceso se elimina en la orina. Las vitaminas A, D, E y K son solubles en grasa, y se conservan o almacenan en el hígado y el tejido adiposo; su exceso puede ser tóxico. Algunas vitaminas, como la D, pueden ser fabricadas por el cuerpo.

▪ *Vitamina A*
Cuando proviene de fuentes vegetales, se llama betacaroteno. En general, beneficia a todo el organismo. Su presencia es necesaria para la buena salud de la membrana de la mucosa de la boca, los oídos, el estómago y otras partes del cuerpo. Contribuye a prevenir infecciones, participa en la formación de los dientes, los huesos y la sangre, estimula el sistema defensivo y ayuda a conservar saludables los órganos sexuales.

ALGUNAS FRUTAS FUENTE DE BETACAROTENO

FRUTA	CANTIDAD	MILIGRAMOS DE VITAMINA A
Albaricoque seco	28 mitades	17,6
Durazno seco	7 mitades	9,2
Albaricoque crudo	3 medianos	3,5
Melón (cantalupo)	1/10 de fruta	3,0
Pomelo o toronja rosada	1/2 fruta	1,3
Mango	1/2 fruta	1,3

Fuente: Departamento de Agricultura de Estados Unidos.

▪ *Complejo vitamínico B*

Como estas vitaminas son solubles en agua y no se almacenan en el cuerpo, deben ser obtenidas diariamente por medio de la alimentación. Tienen la propiedad de transformar los hidratos de carbono en glucosa, la cual utilizamos como fuente de energía. Este complejo vitamínico es muy importante para el metabolismo de las grasas y proteínas. También se le atribuye un papel importante en el normal funcionamiento del sistema nervioso. Finalmente, hay que señalar que ayuda a mantener el tono muscular en el tracto gastrointestinal y beneficia la salud de la piel, los ojos, la boca y el hígado.

FAMILIA DEL COMPLEJO B

B_1: Tiamina

B_2: Riboflavina

B_3: Niacina/Niacinamida

B_6: Piridoxina

B_{12}: Cianocobalamina

Biotina

Colina

Inositol

Ácido fólico

Ácido paraaminobenzoico (Paba)

Ácido pantoténico

(pantotenato de calcio)

▪ *Vitamina C*

Por sus propiedades curativas y preventivas, es la más conocida de las vitaminas. Se le considera una respuesta a la contaminación del aire y una sustancia promotora de la vejez saludable. Como es soluble en agua, se debe consumir diariamente. Ayuda a mantener el tejido conectivo, ataca las infecciones, las alergias y la radiactividad, y se utiliza en el tratamiento de enfermedades comunes (como el resfriado) y graves (como el cáncer).

producirla, es muy común que las personas la adquieran a través de suplementos.

• *Vitamina E*
Su acción antioxidante ayuda a desintegrar sustancias grasas. Aumenta el flujo de sangre hacia el corazón, promueve la curación

ALGUNAS FRUTAS FUENTE DE VITAMINA C		
FRUTA	CANTIDAD	MILIGRAMOS DE VITAMINA C
Guayaba	1	165
Melón (cantalupo)	1/2 fruta	113
Papaya	1/2 fruta	94
Fresa cruda	1 taza	84
Zumo de toronja	1 fruta	75
Kiwi	1	74
Naranja	1	70
Tomate cocido	1 taza	45
Jugo de tomate	1 taza	45
Toronja	1/2 fruta	42

Fuente: Departamento de Agricultura de Estados Unidos.

• *Vitamina D*
Es necesaria para la asimilación del calcio y el fósforo, minerales que el cuerpo requiere para fortalecer los huesos y los dientes. Aunque el organismo puede

interna y externa y estimula los órganos reproductivos. Por ser liposoluble se concentra en los aceites vegetales, las nueces y las semillas. También en el salvado y las leguminosas.

ALGUNAS FRUTAS FUENTE DE VITAMINA E		
FRUTA	CANTIDAD	MILIGRAMOS DE VITAMINA E
Nuez del nogal	3 1/2 onzas	22
Almendra	3 1/2 onzas	21
Avellana	3 1/2 onzas	21
Marañón	3 1/2 onzas	11
Maní tostado	3 1/2 onzas	11
Nuez del Brasil	3 1/2 onzas	7

Fuente: Departamento de Agricultura de Estados Unidos.

Los minerales

Son sustancias químicas importantes para el cuerpo. Los principales, entre ellos el calcio, el sodio, el potasio y el magnesio, son requeridos en mayores cantidades que los que se conocen con el nombre de microelementos (entre ellos el hierro, el cobre, el selenio y el zinc). La deficiencia de minerales es cada vez más frecuente. Esto se debe, en gran parte, a que las reservas minerales de los suelos se van agotando, y lo que no está en la tierra no puede estar en los alimentos. Los seis minerales esenciales son:

• *Calcio*

Se encuentra en los huesos y los dientes. Junto con el fósforo, el magnesio y las vitaminas A y C interviene en la formación de los huesos. Está asociado con el movimiento muscular, el crecimiento y la salud cardiovascular, y es necesario para prevenir la osteoporosis.

• *Magnesio*

Actúa en el cuerpo en asociación con el calcio. Regula los niveles de azúcar en la sangre e interviene en el metabolismo del colesterol. Se le utiliza en el tratamiento de afecciones del corazón.

ALGUNAS FRUTAS FUENTE DE CALCIO		
FRUTA	CANTIDAD	MILIGRAMOS DE CALCIO
Zumo de naranja enriquecido con calcio	1 taza	300
Higo seco	5 unidades	135

Fuente: Departamento de Agricultura de Estados Unidos.

▪ *Hierro*
Interviene en la producción de sangre de "buena calidad", y con ello mejora la resistencia del organismo a las enfermedades.

▪ *Zinc*
Regula el nivel de azúcar en la sangre, la digestión y la resistencia a las infecciones; previene el acné y contribuye a la curación de las heridas. Algunos autores señalan que la depresión puede ser causada por su carencia.

▪ *Yodo*
Actúa en la formación de la tiroxina. Esta hormona y su glándula, la tiroides, controlan buena parte de la actividad mental y física: intervienen en el metabolismo, la producción de energía y la regulación del peso del cuerpo. Este mineral evita que la piel se arrugue y se ponga áspera.

▪ *Fósforo*
Como se mencionó unas líneas arriba, actúa con el calcio en la formación de dientes y huesos. Además, interviene en los procesos de mantenimiento, crecimiento y restauración de las células; es importante para la producción de energía y la actividad nerviosa; permite que la actividad mental sea eficiente y cumple un papel importante en el logro del equilibrio de la sangre y los tejidos.

Trazas minerales

Hay otros minerales que influyen en la salud del hombre. Algunos de ellos han sido ampliamente estudiados, y por tanto conocemos sus funciones dentro del organismo. Otros, en cambio, son un misterio. Sabemos que están en el cuerpo y que deben ser más profundamente analizados. Entre ellos se cuentan los siguientes:

• *Selenio*

Da al cuerpo mayor resistencia a las enfermedades, las infecciones y los radicales libres. Previene el endurecimiento de los tejidos, lo que puede retardar el proceso de envejecimiento. Combinado con vitamina E, favorece la protección de la membrana celular.

• *Potasio*

Con el sodio, ayuda a regular el equilibrio del agua en el cuerpo. Interviene en la actividad de los músculos del corazón, los riñones y el sistema nervioso, y es importante en el mantenimiento de la sangre y de los tejidos. Estimula la actividad hormonal y previene la acidez excesiva.

ALGUNAS FRUTAS FUENTE DE SELENIO		
FRUTA	CANTIDAD	MICROGRAMOS DE SELENIO
Nuez del Brasil	100 gramos	2.960

Fuente: Departamento de Agricultura de Estados Unidos.

ALGUNAS FRUTAS FUENTE DE POTASIO		
FRUTA	CANTIDAD	MILIGRAMOS DE POTASIO
Melón (cantalupo)	1/2 fruta	825
Aguacate	1/2 fruta	742
Durazno seco	5 mitades	645
Ciruela pasa	10 mitades	626
Jugo de tomate	1 taza	536

Fuente: Departamento de Agricultura de Estados Unidos.

▪ *Manganeso*

Está presente en algunas enzimas necesarias para el metabolismo de grasas, proteínas e hidratos de carbono, y contribuye al buen funcionamiento del sistema nervioso, el cerebro, los órganos reproductores y las glándulas mamarias.

▪ *Cloro*

Se une al sodio o al potasio. Es necesario para la producción de ácido clorhídrico en el estómago, indispensable para la digestión de las proteínas y la asimilación de los minerales. Interviene en diferentes partes del cuerpo, como las articulaciones, los tendones y el hígado, y ayuda a que se mantenga el equilibrio entre los fluidos y los electrolitos.

▪ *Azufre*

Es esencial para la formación de los tejidos y la salud del cabello, las uñas y la piel. Contribuye a mantener el equilibrio del organismo y actúa en el hígado y en la respiración de los tejidos.

▪ *Cobre*

Interviene en la formación de glóbulos rojos y en la producción de ácido ribonucleico. Contribuye al desarrollo del cerebro, del sistema nervioso, de los huesos y de los tejidos conectivos. Es un agente esencial en el metabolismo de las proteínas y en los procesos curativos. Influye en el color del cabello.

▪ *Flúor*

Además de proteger de las infecciones, es importante en la formación de los dientes y huesos.

▪ *Cromo*

Influye en el aprovechamiento del azúcar en el organismo; en compañía de la insulina, lleva la glucosa desde la sangre hasta las células. Estimula la actividad de las enzimas relacionadas con el metabolismo de la energía y la síntesis de los ácidos grasos, las proteínas y el colesterol.

- *Cobalto*
Forma parte de la vitamina B_{12}. Ayuda a la conservación de los glóbulos rojos y activa algunas enzimas.

- *Molibdeno*
Es catalizador de ciertas reacciones químicas y forma parte de algunas enzimas importantes.

LA DIETA EQUILIBRADA

Uno de los temas más controvertidos en el área de la dietética es la fijación de unas pautas, que se acepten universalmente, sobre la dieta óptima para el hombre. Y es que, así como existen naciones y grupos étnicos, existen diversos comportamientos nutricionales. Además, también los alimentos son diferentes en cada lugar de la Tierra.

A pesar de eso, la mayoría de los estudiosos de la materia coinciden en aceptar que una dieta equilibrada es aquella que contiene todos los alimentos necesarios para lograr un estado nutricional óptimo, aquel en que la alimentación reúne estas características:

- Aporta una cantidad suficiente de nutrientes energéticos (calorías) para llevar a cabo los procesos metabólicos y de trabajo físico necesarios.
- Suministra los nutrientes con funciones plásticas y reguladoras necesarios (proteínas, minerales y vitaminas).
- Las cantidades de cada uno de los nutrientes están equilibradas entre sí. Los investigadores y expertos de la FAO-OMS (Helsinki, 1988) establecieron las siguientes proporciones:

1. Las proteínas deben suponer 15% del aporte calórico total. La cantidad total ingerida no debe ser menor de 0,75 g/día y tener un alto valor biológico.

2. Los glúcidos deben representar al menos 55-60% del aporte calórico total.

3. Los lípidos no deben sobrepasar de 30% de las calorías totales ingeridas.

El dibujo que sigue muestra la pirámide alimenticia, desarrollada por nutricionistas estadounidenses en la década de los noventa. En ella están representadas las proporciones de los cinco grupos de alimentos que —se considera en la actualidad— deben consumirse diariamente. Estas se calculan por día para lograr una dieta equilibrada y nutritiva. Es necesario señalar que los azúcares, las grasas y los aceites no son considerados como un grupo alimenticio y, por tanto, deben consumirse en menor cantidad.

Es muy importante tener en cuenta que todo alimento debe ser lo más fresco posible y contener muy pocos aditivos.

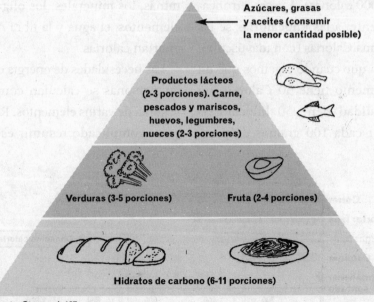

Azúcares, grasas y aceites (consumir la menor cantidad posible)

Productos lácteos (2-3 porciones). Carne, pescados y mariscos, huevos, legumbres, nueces (2-3 porciones)

Verduras (3-5 porciones)

Fruta (2-4 porciones)

Hidratos de carbono (6-11 porciones)

Fuente: Stoppard: 137

EL VALOR ENERGÉTICO DE LOS ALIMENTOS

El valor energético o calórico de un alimento es proporcional a la cantidad de energía que puede suministrar al quemarse en presencia de oxígeno. Se mide en calorías, que equivalen a la cantidad de calor que se requiere para aumentar en un grado la temperatura de un gramo de agua. El valor que resulta de este ejercicio es muy pequeño y por eso, en dietética, se toma como medida la kilocaloría (1kcal= 1.000 calorías). A veces, erróneamente, a las kilocalorías se las llama Calorías (con mayúscula). Así que cuando oigamos que un alimento tiene 50 Calorías, en realidad tiene 50 kilocalorías por cada 100 gramos de peso.

Los adultos debemos consumir entre 1.000 y 5.000 kilocalorías por día.

La tabla de esta página ilustra el número de calorías que se queman por hora en diferentes actividades.

No todos los alimentos que ingerimos se queman para producir energía. Algunos de ellos son usados por el cuerpo para reconstruir las estructuras del organismo o facilitar las reacciones químicas necesarias para la vida. Se considera que las vitaminas, los minerales, los oligoelementos, el agua y la fibra no aportan calorías.

Las necesidades de energía de las personas se calculan como la suma de varios elementos. Resulta complicado resumir este

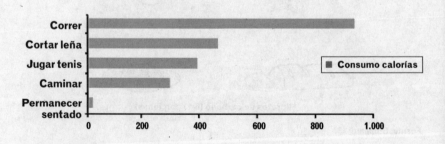

amplio tema, por lo cual lo invitamos a ampliar sus conocimientos sobre la Tasa de Metabolismo Basal y las fórmulas para calcularla. Sin embargo, debemos señalar que la tasa metabólica depende de factores como el peso corporal, la relación entre masa de tejido magro y graso, la superficie externa del cuerpo, el tipo de piel e, incluso, el aclimatamiento a una determinada temperatura externa. Los niños tienen tasas metabólicas muy altas, mientras que las de los ancianos son más reducidas. También son más bajas las de las mujeres que las de los hombres.

UNAS PALABRAS SOBRE LA FIBRA

Los alimentos de origen vegetal que no son refinados (la cáscara de los cereales, la cáscara y pulpa de las frutas, las verduras y los residuos vegetales) se denominan fibras, y son de gran importancia en una dieta saludable.

Por su sorprendente capacidad de unirse a los líquidos durante el proceso de digestión, la fibra ayuda a mantener el intestino sano, pues facilita su actividad y asegura que las heces sean blandas aunque consistentes. Ayuda a evacuar con facilidad y estimula las contracciones del intestino.

Las investigaciones señalan que la fibra soluble (como la contenida en las manzanas y la avena) es útil porque hace bajar el nivel de colesterol en la sangre.

AMIGOS DEL AGUA

El agua es el componente principal de todos los seres vivos. Es tal su valor que, de hecho, podemos vivir meses sin alimento, pero sólo sobreviviremos unos pocos días sin este preciado líquido. Cuando nacemos, nuestro cuerpo tiene 75% de agua, y en la edad adulta cerca del 60%. Aproximadamente 60% se encuentra en el interior de las células (agua intracelular). El restante 40% (extracelular) circula en la sangre y baña los tejidos. El líquido intracelular ocupa la mayor parte del cuerpo, hasta unos 30 litros. Otros diez rodean las células, y dos más se encuentran en el plasma. Así, podríamos estimar que la cantidad total de agua en el cuerpo es de unos 42 litros.

En el agua del cuerpo se producen reacciones que nos permiten estar vivos. Esto se debe a que las enzimas[1] requieren un medio acuoso para adoptar una forma activa. Además, el agua es el medio a través del cual se comunican las células y por el que se transportan el oxígeno y los nutrientes. Es también la encargada de retirar de nuestro cuerpo los residuos y productos de desecho del metabolismo celular y de regular la temperatura del cuerpo mediante el sudor o la pérdida de agua por las mucosas.

---

[1] Agentes proteicos que participan en la transformación de sustancias utilizadas para obtener energía y síntesis de materia propia.

La cantidad de este precioso líquido en el cuerpo se mantiene constante: se pierde a través de la orina, el aliento o el sudor, y se repone con los líquidos que bebemos y con el agua que se forma al respirar. Se estima que esta actividad supone unos tres litros diarios.

La cantidad de agua que se bebe diariamente varía de una persona a otra. Algunos toman más, sencillamente porque sudan más o porque el tipo de actividad que desarrollan les demanda mayor consumo. Todos, sin excepción, necesitamos beber más agua en los climas cálidos.

Hay que anotar que consumir una cantidad suficiente de agua cada día es muy importante para el buen funcionamiento de los procesos de asimilación y los de eliminación de residuos del metabolismo celular. Se ha calculado que, como mínimo, necesitamos unos tres litros al día. Cerca de la mitad la obtenemos de los alimentos, y lo restante bebiendo.

La sed es la forma en que nuestro cuerpo nos indica la cantidad de agua que necesitamos, aunque esta no se asocia con las bebidas alcohólicas o con las dulces. El trabajo de los riñones es eliminar el exceso de líquido, además del sodio y otros minerales.

Con excepción de pocas enfermedades, el agua no es responsable de la obesidad, sino la grasa. Beber menos agua no supone que la persona retenga menos líquidos y, por tanto, que adelgace. Algunas dietas recomiendan aumentar su consumo para ayudar al cuerpo al eliminar ciertas sustancias.

¿CÓMO CONSUMIR EL AGUA?

Consumir el agua en grandes cantidades durante o después de las comidas disminuye el grado de acidez en el estómago, pues diluye los jugos gástricos. Esto puede hacer que las enzimas —que necesitan un cierto grado de acidez para actuar— queden inactivas y la digestión se lentifique. A pesar de que las enzimas continúan actuando pese al descenso de la acidez, pierden eficacia al quedar diluidas. Si las bebidas que tomamos con las comidas están frías, la temperatura en el estómago disminuye y la digestión se hace aún más lenta.

Lo anterior nos conduce a pensar, como norma muy general, que se debe beber a intervalos entre las comidas: dos horas después de comer y media hora antes de la siguiente comida. Algunos expertos en la materia recomiendan, muy especialmente, beber uno o dos vasos de agua al levantarse. De esta manera se mejora la hidratación y

se activan los mecanismos de limpieza del organismo.

FUENTES DE AGUA

Dependiendo de cuál sea su fuente, el agua tiene distintas características y sabores. La de la lluvia se contamina al atravesar una atmósfera polucionada. Si al caer llega a un suelo del tipo turba, entonces será blanda y ácida. Si en su carrera pasa por tierras calizas, será dura y alcalina, y se constituirá en una fuente de calcio.

Mientras discurre por el suelo, en el agua se disuelven otros minerales; los más comunes son el cloruro sódico y los carbonatos de sodio, calcio y magnesio.

Estos elementos en pequeñas cantidades dan un sabor especial e, incluso, según la procedencia, pueden llegar a tener un gusto medicinal y con frecuencia se usan como baño terapéutico.

La mayoría de las comunidades del mundo prefieren consumir agua mineral procedente de un manantial o fuente de confianza, al agua del grifo. Al agua que las redes públicas distribuyen se le añaden compuestos químicos como el flúor o el cloro, que a pesar de ser necesarios para evitar la contaminación microbiológica, pueden resultar peligrosos. Además, si las tuberías están hechas de plomo, este metal pesado, que es tóxico para el organismo, se disuelve en el agua y puede producir graves enfermedades (así sea en pequeñas dosis). En ciertas zonas, en el agua que viene por tubería también se pueden encontrar otros elementos altamente tóxicos como mercurio, cadmio y nitratos de los pesticidas agrícolas.

Esta información hace que las frutas se aprecien aún más como fuente de agua. En ocasiones resulta más barato, al menos en nuestros países tropicales, consumir las frutas en cosecha que comprar agua embotellada. Así, pues, ¡aprovechemos el privilegio que nos ofrece la naturaleza tropical, y comamos frutas!

HÁGALO USTED MISMO

HÁGALO USTED MISMO

Conservación y preparaciones básicas

En los supermercados se encuentra una oferta más o menos amplia de conservas, mermeladas, jaleas y productos congelados. Sin embargo, la elaboración casera de estos productos no deja de ser una posibilidad interesante. Sea cual sea su experiencia culinaria, usted puede prepararlas y obtener beneficios, entre ellos un menor precio, una selección más amplia de frutas y una preparación acorde con su gusto (con más o menos azúcar, más densas o líquidas…). Es, además, una manera de disfrutar a lo largo del año de sus frutas favoritas. Y como las conservas las hace usted mismo, puede estar más atento al proceso de preparación y selección de la fruta y adaptar las recetas a sus necesidades.

Desde el punto de vista de la salud, las conservas también aportan beneficios, pues le permiten tener a su disposición permanentemente las frutas más ventajosas para su cuerpo; podrá mantener una especie de botiquín en la despensa. Para las madres de familia, es de gran utilidad elaborar estas preparaciones en casa, pues así sus hijos disfrutarán de comidas sanas e higiénicas.

CONSERVAS

EL EQUIPO NECESARIO

• *Frascos*

Aunque los hay de diversos tamaños, los que se encuentran con mayor frecuencia son aquellos cuya capacidad oscila entre 1/2 y 4 kg. Los cierres suelen ser de dos tipos: tapa rosca y tapa de muelle. Las primeras están provistas de empaques o discos de goma que permiten el cierre hermético. Las segundas tienen un alambre flexible que ajusta sobre la tapa y está separado del frasco por un empaque o anillo de goma.

• *Termómetro*

Este instrumento no es necesario en todos los procedimientos. Se requiere si la fruta se va a conservar con el método de calentamiento lento.

• *Ollas o cacerolas*

En ellas se introducirán los frascos. Si tiene oportunidad de comprar una cacerola especial para conservas, hágalo, pues le sacará el mayor provecho. Si no, utilice una olla grande y honda. Para evitar que el frasco esté en contacto con el fondo de la olla o cacerola, válgase de una rejilla

Tapa rosca.

Tapa de muelle.

(por ejemplo, de arepas) o haga un fondo falso con trozos de madera, trapos, periódicos doblados o lo que se le ocurra. También puede emplear la olla de presión, siempre y cuando sea del tamaño y profundidad adecuados para alojar los frascos y pueda mantener la presión baja y uniforme durante varios minutos.

Antes de empezar

■ Examine el equipo antes de embotellar.

■ Revise que en los frascos no haya grietas o fisuras.

■ Verifique que los empaques o anillos de goma conserven su elasticidad.

El procedimiento

1. Lave y desinfecte cuidadosamente los frascos. Tome separadamente los frascos y sus tapas e introdúzcalos boca abajo sobre el fondo falso que ha preparado en la olla. Vierta agua para cubrirlos hasta la mitad. Tape la

olla y deje hervir por diez minutos, si los frascos son nuevos, y quince si son reciclados. Déjelos en el agua hasta el momento de utilizarlos. Tenga en cuenta que la fruta entra más fácilmente a los frascos si estos están húmedos. En cuanto a los empaques o anillos de goma, sáquelos de la olla y remójelos por diez minutos en agua fría. Un momento antes de ajustarlos en los frascos, échelos en agua hirviendo.

Embotellar.

2. Seleccione y lave la fruta. Trate de que sea de la mejor calidad posible, y fíjese que esté bien madura al momento de conservarla. Es muy importante que se encuentre en perfecto estado, sana y apetitosa. Si por alguna razón la fruta presenta partes dañadas, retírelas.

3. La fruta conservada en almíbar tiene, para mi gusto, mejor sabor que la conservada en agua. Sin embargo, este último método es adecuado para las personas que requieren una dieta baja en azúcar.

Para obtener un almíbar, disuelva en agua azúcar granulado o en terrones. Ponga al fuego, lleve al punto de ebullición y deje hervir durante un minuto.

4. Llene los frascos presionando la fruta. Añada el líquido y golpee suavemente los frascos sobre un paño doblado para sacar cualquier burbuja de aire del interior. Coloque las tapas, los empaques o anillos de goma (si van por separado), y por último la tapa.

Vierta el almíbar.

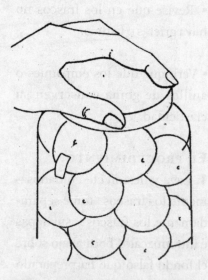

Retire las tapas de rosca o los muelles. Levante el frasco por la tapa para probar el precintado.

TRES MÉTODOS PARA CONSERVAR LA FRUTA

Los métodos más comunes son cinco. De ellos, los que utilizan el calentamiento lento y el calentamiento rápido en agua son los más aconsejables, porque ahorran energía y conservan la apariencia de la fruta. Cocer la fruta en olla de presión ahorra tiempo, pero le quita su bonito aspecto.

Calentamiento lento en agua

Llene los frascos con la fruta y vierta almíbar casi hasta el borde. Coloque las tapas y empaques o anillos de goma. Si usa frascos con tapa rosca, póngalas algo flojas (un cuarto de vuelta, aproximadamente).

Coloque los frascos sobre el fondo falso de una olla o cacerola grande y honda. Ponga periódicos entre ellos, para evitar que estén en contacto entre sí y con el interior de la olla. Cubra con agua fría. Ponga una tapa sobre la olla o tápela con una tabla. Caliente el agua muy lentamente, y use un termómetro para controlar la temperatura, que pasada una hora debe alcanzar 54 °C. Después de 30 minutos, el agua debe estar a la temperatura indicada en la tabla de la página 47. Mantenga la temperatura durante el tiempo señalado y luego retire los frascos de la olla.

Use unas tenazas de madera o escurra el agua hasta que pueda sacar los frascos, uno por uno, con unos guantes para el horno. Colóquelos sobre una tabla de madera. Si utilizó frascos de tapa rosca, apriete inmediatamente. Pasadas 24 horas, quite las tapas finales. Pruebe el precintado levantando cada frasco por su tapa. Si esta se mantiene firme, significa que se ha creado un vacío. Etiquete los frascos con el nombre de la fruta, el tipo de líquido usado (almíbar o agua) y la fecha, y guárdelos en un lugar fresco y seco.

Si la tapa se despega al probarla, la fruta debe procesarse de nuevo o utilizarse como fruta cocida. Consúmala dentro de los dos días siguientes. Revise los frascos y tapas en busca de fisuras o grietas que no hubiese observado antes.

Calentamiento rápido en agua

Este método, que no requiere termómetro, difiere del anterior en algunos detalles. Los frascos deben calentarse antes de ser llenados. El almíbar o el agua deben estar a 60 °C. Coloque los frascos llenos y tapados sobre el falso fondo de la olla o cacerola. Llénela con agua tibia (a unos 38 °C) y caliente hasta que hierva a fuego lento entre 25 y 30 minutos. Deje que hierva a fuego lento el tiempo especificado en la tabla. La parte final de este método es igual al anterior.

Con olla de presión

Ponga en la olla un falso fondo, vierta agua hasta alcanzar un cuarto de altura de la olla y llévela a punto de ebullición. Llene los frascos previamente calentados con la fruta y el almíbar o agua hirviendo. Ponga las tapas, los empaques o anillos de goma y las tapas finales, e introduzca los frascos en la olla. Si las tapas son de rosca, aflójelas un cuarto de vuelta. Ponga la tapa de la olla de presión con la válvula abierta y caliente hasta que el vapor escape. Cierre la válvula o coloque la pesa, deje la presión lo más baja posible y manténgala durante el tiempo especificado en la tabla. Retire la olla del fuego y ábrala después de diez minutos. Deje reposar durante 24 horas. Pruebe y rotule con el nombre de la fruta, el líquido usado y la fecha.

PREPARACIÓN DE LAS CONSERVAS

FRUTA	AZÚCAR POR LITRO DE AGUA	PREPARACIÓN	MÉTODO 1	MÉTODO 2	MÉTODO 3
Frambuesa	1 kilogramo	Deseche los tallos. Limpie de insectos si los hay.	74 °C por 10 minutos de cocción	88 °C por 2 minutos de cocción	1 minuto a 2,5 kg de presión
Fresa	1 kilogramo	Retire los cálices y enjuague con agua fría. Las fresas pierden color al embotellarlas.	74 °C por 10 minutos de cocción	88 °C por 2 minutos de cocción	No se recomienda
Manzana (en almíbar)	200 a 300 gramos	Pele, retire los corazones y corte en rodajas. Enjuague antes de embotellar.	74 °C por 10 minutos de cocción	88 °C por 20 minutos de cocción	3-4 minutos a 2,5 kg de presión
Pera	250 a 300 gramos	Pele, corte a la mitad y retire los corazones.	83 °C por 30 minutos de cocción	88 °C por 40 minutos de cocción	5 minutos a 2,5 kg de presión
Melocotón y albaricoque	250 a 300 gramos	Pele, corte en mitades y retire el hueso de la fruta.	88 °C por 30 minutos de cocción	88 °C por 40 minutos de cocción	5 minutos a 2,5 kg de presión

Nota

Si utiliza frascos más grandes, aumente el tiempo de cocción (métodos 1 y 2), así: cinco minutos para los frascos de 2 kg, diez minutos para los de 3 kg y quince minutos para los de 4 kg.

Si la preparación fue bien hecha, la mayoría de las conservas durarán más de un año. Sin embargo, es preferible consumirlas antes.

Las conservas pueden resultar defectuosas cuando no se tiene mucha experiencia. Para detectar los síntomas de descomposición, fíjese en el color del líquido, pues al descomponerse se enturbia. Una conserva también está en mal estado si la tapa del frasco se encuentra curvada o abombada. Si observa dentro del frasco burbujas producidas por la fermentación, o si al destapar el frasco el olor es diferente al del momento de empacar, entonces deseche la preparación.

MERMELADAS Y JALEAS

Preparar mermeladas y jaleas en casa tiene muchos beneficios: serán de color brillante y sabor fresco, tendrán la consistencia que usted desee y se conservarán muy bien. En general, todas las jaleas y mermeladas se hacen hirviendo la fruta o sus jugos hasta que la mezcla cuaje ligeramente al enfriarse. Es importante tener en cuenta estos elementos:

• *Fruta*
Prefiérala no muy madura y recién cosechada. Retire los tallos, hojas y semillas. Lave la fruta justo antes de usarla.

• *Ollas*
Seleccione ollas o cacerolas grandes y gruesas, preferiblemente de acero inoxidable o de aluminio. Si usa ollas esmaltadas, verifique que no estén desportilladas o desconchadas, porque el contacto con el hierro estropeará el color de la conserva. Para evitar que se queme y reducir la espuma, frote el fondo de la olla o cacerola con glicerina o con mantequilla.

■ *Azúcar*

Prefiera el que viene en terrones o granulado. Para lograr que se disuelva rápidamente, caliéntelo en el horno a una temperatura muy baja antes de agregarlo a la fruta. Las frutas ricas en pectina y ácido requieren entre 600 y 720 g de azúcar por cada 1/2 kg de fruta. Si la fruta tiene una cantidad más bien baja de estas dos sustancias, agregue 1/2 kg de azúcar por cada 1/2 kg de fruta.

Las frutas que están ligeramente verdes contienen más pectina que las maduras, y las que son ácidas aun cuando están maduras —como las manzanas, las guayabas, las naranjas amargas y los limones— son particularmente ricas en pectina. Cuando se hace mermelada con una fruta cuyo contenido de esta sustancia es bajo (como la fresa), el proceso de asentamiento puede mejorarse agregando jugo de limón. Para conseguir un resultado firme pero menos apetitoso, puede añadir pectina comercial, hecha de pulpa de manzana.

Para determinar la cantidad de pectina presente en una fruta, ponga una cucharadita de jugo (hervido a fuego lento) en un vaso templado. Cuando el jugo esté frío, añada tres cucharaditas de alcohol metílico. Agite el vaso y déjelo reposar por un minuto. Si la pectina se concentra en un grumo de buen tamaño parecido a la jalea, la fruta contiene una cantidad adecuada. Si el grumo se divide o rompe en dos o tres trozos, la pectina es escasa, y si aparece en muchos trocitos, entonces hay que añadir pectina, pues la fruta no contiene suficiente.

■ *Agua*

Por lo general es necesaria una poca cantidad para evitar que la fruta se queme. Las fresas, moras, frambuesas y otras frutas blandas no requieren agua; simplemente se calientan a fuego lento hasta que entreguen sus jugos.

• *Consistencia*

Para probar la consistencia, ponga un poco de la preparación de jalea o mermelada en un platico y deje enfriar. Si al tocarla se arruga y se pega, está lista; es el momento de espumarla para retirar impurezas. Si dispone de un termómetro, puede usarlo así: manténgalo en un poco de agua caliente entre una toma y otra. Remueva la preparación y coloque el termómetro en el centro, sin tocar el fondo de la olla. La temperatura debe estar entre los 104 °C y los 105 °C.

PREPARACIÓN

Para elaborar una deliciosa mermelada no es necesario dedicar toda una mañana. Hacer cantidades pequeñas es más práctico, y no ocupa mucho tiempo. Antes de empezar es importante conocer algunas reglas básicas:

• Tenga todos los utensilios listos y escrupulosamente limpios.
• Revise la cantidad de pectina.

• Pruebe con frecuencia la preparación para determinar si es buena su consistencia.
• Escoja lugares apropiados para almacenar.

Mermeladas o confituras

Lave la fruta y póngala en una olla grande. Añada la cantidad de agua necesaria y hierva a fuego lento hasta que la piel se ablande y libere la pectina de la fruta. Si requiere más ácido, añádalo en esta etapa de la preparación. Compruebe la cantidad de pectina. Recuerde que cuando utiliza una fruta cuyo contenido de pectina es bajo (por ejemplo la fresa), el proceso de asentamiento puede mejorarse agregando jugo de limón.

Cuando la fruta esté blanda (no antes), añada el azúcar templado (la olla debe estar llena solamente hasta la mitad una vez que se ha añadido el azúcar) y revuelva hasta disolver. Eleve el fuego y hierva rápidamente, removiendo de vez en cuando. Trate de cocinar la mezcla el menor tiempo posible después de haber añadido el azúcar. El tiempo de cocción varía según la fruta (puede tomar entre cinco y 35 minutos). Compruebe la consistencia como se indicó.

Cuando la preparación esté lista, retire la espuma y deje asentar. Permita que se enfríe unos minutos, para evitar que la fruta suba a la parte superior de los envases, y vierta en los frascos limpios y calientes.

Limpie con un paño húmedo el cuello de los frascos. Cubra la mermelada aún caliente con discos de papel encerado, a fin de evitar el contacto con el aire. Para asegurar un cierre hermético, humedezca el papel por la parte exterior y asegure con un caucho o banda de goma. Etiquete con la fecha y almacene en un lugar fresco, oscuro y seco.

Jaleas

Algunas frutas de textura gruesa o con pepitas conviene conservarlas como jaleas, tamizando los frutos cocinados a través de una bolsa de tejido espeso, que retiene las pepitas y deja pasar toda la pulpa y el sabor.

Las frutas de sabor fuerte (como, por ejemplo, la guayaba) son ideales para hacer jaleas. Puede lograrse que cuajen mejor, si se utilizan manzanas en el momento de la cocción. Es muy difícil dar proporciones exactas, pero digamos que, en general, se ponen 5 kg de fruta por cada 3 de azúcar.

Seleccione la fruta, lávela, retire las partes magulladas y córtela en grandes trozos. Póngala en una olla con 2 ó 3 dl de agua por cada 1/2 kg de fruta. La fruta dura o muy firme requiere mayor cantidad de agua. Ponga la olla a fuego lento y hierva hasta que la fruta esté blanda. Verifique la cantidad de pectina.

Aparte, escalde una bolsa para jalea, o de muselina, y cuélguela sobre un recipiente grande. Si no dispone de estos elementos, puede improvisar con un trapo muy limpio, como se muestra en el dibujo. Vierta la mezcla en la bolsa y déjela allí hasta que cese de gotear.

Finalmente, mida la cantidad de jugo extraído y viértalo en una olla grande. Póngalo en el fuego hasta que hierva y añada, removiendo, de 360 a 600 g de azúcar. Por lo general, la fruta con mayor cantidad de pectina necesita más azúcar.

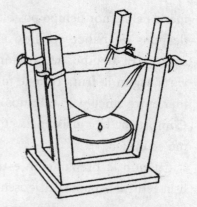

Improvise atando un paño limpio a las patas de un taburete invertido.

CONGELACIÓN

Es un método fácil y barato para procurarse frutas y verduras durante todo el año. En los países donde hay estaciones es frecuente que las familias congelen alimentos propios de una temporada para disfrutarlos en otra. En zonas tropicales, como la nuestra, esta práctica se aplica a las cosechas.

Aunque en los supermercados se encuentran pulpas congeladas, es conveniente hacerlas en casa. En primer lugar, porque eso nos permite seleccionar la fruta según las necesidades y el gusto de nuestra familia, y en segundo lugar, porque resulta más económico.

La congelación mantiene la textura, el sabor y el valor nutritivo de casi todos los vegetales y frutas mejor que cualquier otro método de conservación. Es simple y eficaz y, si se hace con cuidado, resulta difícil distinguir lo congelado de lo fresco.

Cuando vaya a congelar frutas, siga estas reglas de oro:

- La calidad de la fruta debe ser excelente: utilice sólo las más jóvenes y frescas. El tiempo entre la cosecha y la congelación debe ser el menor posible. Así que cuando vea una fruta muy fresca en su tienda favorita o supermercado, aprovéchela al máximo, congelándola tan pronto como pueda.

- Nunca vuelva a congelar un alimento después de haberlo descongelado. Es peligroso para la salud, pues al contacto con el aire los alimentos inician su proceso de descomposición.

- Cuando consiga una fruta o verdura fresca, manténgala fría para evitar que se deteriore antes de congelarla. Un adecuado proceso y posteriormente un correcto descongelado (si es necesario) y cocinado, contribuirán a mantener las propiedades nutritivas y el sabor de los alimentos.

Las técnicas de preparación, congelación y empaque de frutas y verduras son fáciles de aprender, requieren un equipo de cocina mínimo y son baratas. El tamaño de su congelador no debe ser un problema: sáquele el mayor provecho a cada centímetro disponible. Decida con antelación cuánto espacio va a destinar para conservar sus alimentos, y trabaje con esa área en mente. A fin de conservar la fruta al natural, siga este procedimiento: seleccione muy bien la fruta, lávela con cuidado y rocíela con limón si es de las que se negrea (por ejemplo, los bananos y las manzanas). Córtela en trozos y dispóngala sobre un plato en una sola capa, cúbralo con papel aluminio y llévelo al congelador por tres horas. Transcurrido ese tiempo, saque la fruta del congelador y empáquela en bolsas plásticas calculando el tamaño de las porciones según sus requerimientos. Cierre las bolsas herméticamente, de forma que no circule aire alrededor de la comida mientras está en el congelador, y no olvide etiquetarlas con el nombre y la fecha de preparación.

Otra alternativa es congelar la fruta con azúcar. Para hacerlo, córtela en trozos, añada 100 g de azúcar por kilo de fruta y empáquela en bolsas plásticas. No olvide extraer la mayor cantidad de aire antes de cerrarlas. Luego, lleve al congelador.

Finalmente, puede congelar la fruta en jugo. Haga el jugo y viértalo en vasos o en una bolsa plástica. Cierre herméticamente, etiquete y congele.

Una última recomendación: utilice un bolígrafo o rotulador especial para las etiquetas. La escritura con lápiz o bolígrafos ordinarios tiende a desaparecer, y entonces la información será ilegible.

FRUTA SECA Y CONFITADA

La fruta seca nos ofrece un tipo especial de dulzura. El proceso concentra los azúcares contenidos en la fruta fresca, y aunque por lo general se pierde la vitamina C, se mantienen los minerales y la vitamina A.

La fruta seca —dátiles, higos, uvas pasas— ha sido siempre estimada a lo largo de la historia. En Europa se empezó a importar en el siglo XIII, para guardar en la despensa. Las amas de casa medievales empleaban algunas frutas secas como ciruelas, albaricoques, peras, cerezas y bayas, en recetas que hoy nos parecen curiosas.

A diferencia de los antiguos, que hacían en casa el proceso de secado y confitado, nosotros recurrimos a los supermercados y tiendas naturistas, donde se consiguen a buen precio. Las más comunes son las ciruelas y uvas pasas, y los higos, naranjas, melocotones, peras, albaricoques y plátanos secos.

ALMACENAMIENTO DE FRUTAS FRESCAS

En la siguiente tabla usted encontrará el tiempo de almacenamiento que cada fruta requiere en la nevera o refrigerador (a menos que se indique lo contrario).

FRUTA	TIEMPO MÁXIMO DE ALMACENAJE
Aguacate	3 a 5 días
Albaricoque	3 a 5 días
Arándano	1 semana
Badea	1 semana*
Banano	1 a 5 días *
Bayas	3 a 5 días
Breva fresca	1 a 2 días
Cereza	1 a 2 días
Chirimoya madura	1 a 3 días
Ciruela	3 a 5 días
Curuba	1 semana*
Durazno	3 a 5 días
Feijoa	1 semana*
Frambuesa	1 a 2 días
Fresa	1 a 2 días
Granada	1 semana
Granadilla	1 semana
Grosella	1 a 2 días
Guama	1 semana*
Guayaba	3 a 5 días
Icaco	1 semana
Kiwi	4 a 6 días
Kumquat	5 días
Lima	5 días

Limón	5 días
Lulo	3 a 5 días
Mamey	3 a 5 días*
Mamoncillo	3 a 5 días*
Mandarina	5 días
Mango	3 a 5 días*
Manzana	1 semana o más
Maracuyá	1 semana*
Melón	3 a 5 días
Mora	1 a 2 días
Naranja	5 días
Níspero	3 a 5 días
Papaya	1 semana
Papayuela	1 a 2 semanas*
Pera	3 a 5 días
Piña	2 a 4 días
Pitahaya	1 semana*
Plátano maduro	2 semanas o más
Plátano verde	1 semana
Pomarrosa	3 a 5 días*
Ruibarbo	2 a 3 semanas
Sandía o patilla	3 a 5 días
Tomate	3 a 5 días*
Tomate de árbol	3 a 5 días*
Toronja o pomelo	1 semana
Uchuva	3 a 5 días*
Uva	3 a 5 días
Zapote	5 a 8 días*

*A temperatura ambiente.

SÓLO
FRUTAS

SÓLO
FRUTAS
Desde abotijaba hasta zarzamora

En esta parte del libro encontrará que todas las frutas están acompañadas de una serie de iconos cuyo objetivo es facilitar la consulta. Tales símbolos resumen de manera gráfica las características más importantes de cada fruta.

Este icono aparece al lado de las frutas que son apropiadas para el consumo infantil. Por lo general, el médico pediatra sugiere en qué momento se las puede incluir en la dieta de los niños. Antes de incorporar una fruta de manera definitiva en la alimentación del pequeño, es importante observar cómo la tolera su organismo. Es recomendable no mezclar las frutas, no excederse en la sal o el azúcar, no utilizar ollas de cobre y, si las frutas son cocinadas al vapor, exponerlas el menor tiempo posible a la luz, el aire, el calor y el agua. Utilice siempre agua pura.

Este icono acompaña a las frutas que es indispensable tener en casa (este concepto varía con los gustos, la composición del hogar y la disponibilidad de las frutas según las cosechas o el lugar de origen). En total, sugiero diez frutas poderosas en nutrición, amables al paladar y recomendables para todas las edades y circunstancias. De todas maneras, usted puede cambiar esta elección.

Las frutas incluidas en este libro brindan múltiples beneficios para la salud, pues actúan sobre distintas partes del cuerpo. Sin embargo, dedicamos una sección especial a aquellas que en cantidades y formas específicas ofrecen resultados determinados. Con este icono invitamos a consultar la sección "Recetas fáciles para dolencias comunes".

Este símbolo indica que la fruta ofrece beneficios estéticos (para el cabello, los dientes, la piel, los ojos…). También es una guía para las personas con sobrepeso y para las que desean, por el contrario, engordar un poco.

Este icono indica que una fruta es recomendada por sus posibilidades, si bien sus aplicaciones y usos medicinales aún están en investigación. Si el lector conoce una fuente fidedigna de consulta sobre el tema, lo invito a explorar más.

ABOTIJABA

Myrciaria cauliflora. Myrtaceae.

Otros nombres comunes

Cabotijaba

Diaboticaba

Guabotijaba

Jaboticaba

Uva de palo

UNA HISTORIA

Este árbol es originario de Paraguay y del sur de Brasil. Su cultivo se ha propagado a otros países como Colombia.

CARACTERÍSTICAS

El abotijábol tiene la corteza lisa y un brillante follaje. Los frutos nacen y se distribuyen aislados o en racimos, y están unidos a las ramas principales y al tronco. Su tamaño puede variar entre 2 y 2,5 cm de diámetro y su color cambia, según su estado de madurez, desde el verde hasta el negro brillante. La pulpa es blancuzca y gelatinosa, y su sabor ligeramente ácido.

USOS

Esta fruta puede comerse fresca en las dos cosechas que produce al año. También puede utilizarse en la preparación de mermeladas, jaleas y compotas. Sus propiedades medicinales bien merecen ser estudiadas.

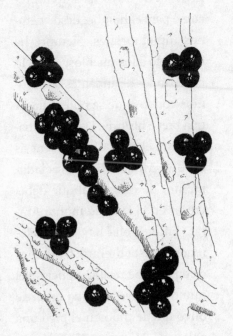

ABRIDORES

Ver albaricoque

ACAJÚ

Ver marañón

Aceituna

Olea europaea L. *Oleaceaceae*

Oliva

Una historia

El árbol de olivo ha sido un recurso para el hombre desde tiempos inmemoriales. Siempre ha fascinado a los pueblos, como lo prueban los abundantes testimonios con los que se podría hacer una breve historia. De ella formaría parte el episodio del Génesis en que Moisés habla (veladamente) de este árbol que debía crecer en el famoso monte Ararat. En la Biblia hay otras referencias a esta literaria fruta (por ejemplo, Noé recibió noticias del mundo a través de una rama de olivo que le trajo en el pico una paloma). Homero, Herodoto y Virgilio reseñaron este árbol en sus poemas. Aunque aún hoy se discute el lugar de origen del olivo, se cree que es la zona comprendida entre los montes del mediodía del Cáucaso, los extremos del altiplano iraniano y las costas de Siria y Palestina.

Características

El olivo, árbol de unos 5 m de altura, tiene ramaje de péndulo y hojas alargadas. En las ramas terminales florece en espiga y fructifica con generosidad. Sus frutos maduros, de los que se extrae el aceite, son de color violeta oscuro. Las aceitunas recién cosechadas son muy amargas. Pierden ese sabor al lavarlas y ponerlas en agua con sal. Así se envasan en vinagre diluido y se conservan largo tiempo.

USOS

De un sabor muy propio, la aceituna es apetecida en conserva. Su aceite es valioso por su agradable sabor y su bajo contenido de colesterol. Medicinalmente se usa como activador hepático y biliar. Según los investigadores, tiene múltiples beneficios para la salud. En primer lugar, reduce el colesterol "malo" (LBD), eleva ligeramente o mantiene los niveles de colesterol "bueno" (LAD) y mejora la relación entre ambos. También es excelente para calmar las molestias producidas por las quemaduras. Alivia la acidez estomacal, la indigestión y las úlceras provocadas por el estrés, las comidas picantes y el alcohol. Su uso frecuente (especialmente crudo, en cucharadas o ensaladas) mejora las condiciones de la piel seca y del cabello.

Usos populares: el aceite se considera rejuvenecedor y embellecedor. Es un laxante suave, emoliente, y evita y elimina los cálculos del riñón y la vesícula.

Untado, alivia la dermatitis. Las hojas y la corteza del olivo se pueden usar como hipotensores y también como vermífugos.

ACEROLA
Ver cereza

AGRAZ
Vaccinium meridionale Sw

UNA HISTORIA

Crece en las zonas frías entre los 2.400 y 3.000 m sobre el nivel del mar. Es propia del páramo y se cultiva especialmente en algunas zonas de la cordillera de los Andes en Suramérica.

CARACTERÍSTICAS

Este arbusto alcanza 4 m de altura. Su corteza, anaranjada, se desprende con facilidad. La fruta es pequeña (1 cm de diámetro), de color morado intenso y brillante, casi negro en la madurez. La inflorescencia produce racimos de diez a quince flores.

Contenido
Como la mayoría de las frutas, es rica en agua, minerales y vitaminas benéficas para el cuerpo.

Usos
Es frecuente que las personas con problemas de azúcar acudan a esta fruta para estabilizarla.

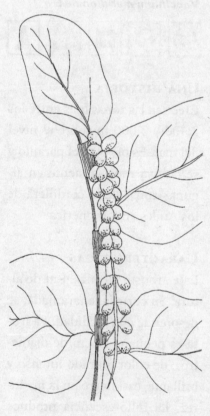

Aguacate
Persea americana Mill.

Otros nombres comunes
Avocado
Palta
Curo
Curagua
Paltay

Una historia
Los arqueólogos han encontrado semillas de aguacate en México; se calcula que su origen se remonta al 8000 a.C. Al principio se recogían los frutos silvestres; luego se desarrolló el cultivo, que los incas difundieron por Suramérica entre 1450 y 1475. A los aztecas debemos el nombre *aguacatl*, que quiere decir testículo.

Características
El aguacate pertenece a la familia del laurel. Existen diferentes variedades —brasileña, mexicana, guatemalteca y antillana—, cada una de las cuales posee

características propias en cuanto a tamaño, intensidad del color, espesor de la cáscara, etc. La drupa puede ser en forma de pera, ovoide o casi esférica, según la variedad. Su tamaño fluctúa tanto como su peso: entre 5 y 20 cm de longitud y de 60 g a 2 kg. Su piel, frecuentemente lisa, delgada y delicada, envuelve una pulpa de color amarillo o verde, aceitosa y sensual, comparable con la mantequilla.

CONTENIDO

100 g de pulpa contienen 79,7 g de agua; 1,6 de proteínas; entre 2 y 13,3 de grasa; 3 de carbohidratos; 1,6 de fibra y entre 0,8 y 5,8 de cenizas. En miligramos: 10 de calcio; 40 de fósforo; 0,4 de hierro; 00,5 de tiamina; 0,12 de riboflavina; 1,4 de niacina y 5 de ácido ascórbico. Vitamina A: 30 U.I. Kilocalorías: 127. Contiene alrededor de once vitaminas y catorce minerales, además de proteínas. El porcentaje de hidratos de carbono es bajo, y no contiene colesterol.

USOS

Como las almendras y el aceite de oliva, el aguacate contiene mucha grasa, la mayor parte monosaturada, por lo que mejora el nivel de colesterol en la sangre y protege las arterias. Por su

---

Consejos

Para seleccionar un buen aguacate, fíjese si al apretarlo entre sus manos se siente un poco blando. La aparición de manchas negras en la cáscara indica que la fruta está madura. También se puede introducir un palillo cerca del ápice; si este penetra con facilidad la cáscara, seguro que está en su punto. El aguacate se puede almacenar en un lugar fresco y ventilado. Si lo compra un poco verde, envuélvalo en papel periódico; madurará más rápido. Si después de una comida le sobró una parte, guárdela en la nevera con la pepa y rocíele un poco de limón.

alto valor nutritivo, a veces se consume en vez de carne.

Usos populares: algunos emplean la cáscara como laxante y la semilla como antidiarreico y para aliviar los síntomas del resfriado común. Las hojas en infusión son útiles para bajar el colesterol y aliviar malestares como cansancio y dolor de cabeza, trastornos respiratorios y problemas menstruales. Frotarse el cuero cabelludo con pulpa de aguacate mantiene la vitalidad y el color natural del cabello. Para curar afecciones de la boca y las encías, machaque las hojas frescas de aguacate y aplíquelas en la zona afectada.

ALBARICOQUE

Prunus armeniaca L.

Otros nombres comunes

Damasco

Abridores

UNA HISTORIA

El albaricoque es originario de Turquestán, Mongolia y el norte de China. Parece que su introducción en el mundo griego y romano se debió a Alejandro Magno, quien lo trajo de Armenia (de allí su nombre científico). Sin embargo, fueron los árabes los que extendieron el cultivo por el Mediterráneo. A América y África sólo llegó en el siglo XVIII. En la obra *Sueño de una noche de verano*, de William Shakespeare, las hadas lo usan como afrodisíaco.

CARACTERÍSTICAS

El albaricoque se distingue del melocotón por su menor tamaño, la nuez suelta de su pulpa y, sobre todo, porque aquella no se presenta con surcos sino lisa y, en cambio, tiene un reborde alto por uno de sus lados. El árbol es más nudoso y las hojas casi acorazonadas. La carne de la fruta es amarilla, azucarada y tan jugosa que se deshace con facilidad en la boca.

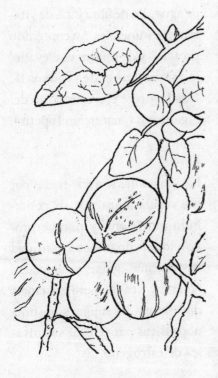

Usos

Por su jugosidad, sabor y olor, es recomendable consumir el albaricoque fresco. Según algunas publicaciones médicas, esta fruta podría ayudar a prevenir el cáncer, la hipertensión arterial y los accidentes cerebrovasculares. Desarrolla músculos y tejidos nerviosos sanos, estimula el apetito, es astringente para el estómago y puede ayudar a tratar la anemia. Como mascarilla, estimula la piel y mejora su tono.

ALMENDRA
Prunus dulcis

Contenido

El albaricoque tiene nutrientes como manganeso y potasio, y es rico en una sustancia denominada *saponins*. Tanto verde como maduro aporta gran cantidad de vitamina C. Maduro, contiene el doble de vitamina A, que combate las infecciones y tiene un papel importante en los procesos relacionados con la visión.

Una historia

El origen del almendro se ha identificado en zonas de Rusia asiática, China y Japón. Su cultivo era conocido por los hebreos algunos años antes de Cristo, y su difusión en Occidente se debe a los fenicios. Luego, los griegos lo introdujeron a Italia, y de allí pasó a España, Alemania y Francia. Hacia finales de 1500 llegó a América septentrional y meridional. La almendra era la "nuez" más importante en las recetas antiguas. La leche de almendras (que se obtenía moliéndolas y macerándolas en agua) solía remplazar a la leche en los días de ayuno o durante las épocas muy calurosas.

CARACTERÍSTICAS

La almendra no es en realidad una nuez, pertenece a otra familia. Es una drupa, es decir, una fruta carnosa que encierra un hueso donde se encuentra el núcleo. Hay almendras de cáscara tierna, semidura y dura, y almendras amargas de cáscara dura. Entre unas y otras no hay mucha diferencia; las primeras, más ricas en materias nitrogenadas, son un poco más pequeñas y su semilla no tiene tantas grasas.

CONTENIDO

59% de grasa, 16% de hidratos de carbono, 16% de proteínas, 5% de agua, 2% de fibra y 2% de vitaminas y minerales. Su contenido proteico y de lípidos es elevado, lo mismo que el de vitamina B_1. Esta favorece el crecimiento del organismo y mantiene el apetito.

USOS

Las almendras son apetecidas por los vegetarianos por su contenido nutricional y porque proporcionan una buena cantidad de proteínas, grasas y minerales. Son muy ricas en boro, sustancia que sirve a las mujeres postmenopáusicas para elevar sus niveles de estrógeno.

Usos populares: se utiliza para obtener energía y como reconstituyente nervioso y antiséptico intestinal y urinario. Aumenta la producción de leche en las madres lactantes, es buena aliada de los que padecen desnutrición y también se recomienda durante ciertas etapas del crecimiento. Las personas que no toleran la leche de vaca pueden sustituirla por leche de almendras.

ANANÁ
Ver piña

ANÓN
Anona squamosa **L.**

Otros nombres comunes

Anón caucano

Anón de verruga

Corazón

Andú

UNA HISTORIA
Esa fruta es originaria de la América tropical y su género se conoce en todo el mundo por su agradable sabor. Su pariente, la chirimoya, ha sido calificada como "la mejor fruta del trópico".

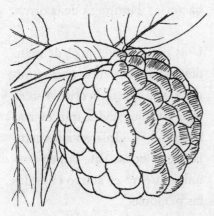

CARACTERÍSTICAS
Su forma es similar a la de la chirimoya. Los frutos presentan una superficie cubierta de salientes, muchas semillas y un sabor a jugo de caña (por su pulpa licuada y no fibrosa). Es generalmente de color verde, a veces amarillo. Se le considera la fruta más medicinal de la familia de las *anonáceas*.

CONTENIDO
Agua, fibra, tiamina, niacina, riboflavina, proteínas, grasa, fósforo, calcio, hierro, potasio, sodio, vitaminas B y C y carbohidratos. Tiene abundantes taninos y sustancias astringentes.

USOS
En cataplasmas, se le emplea para aliviar las contusiones. Los frutos verdes desecados y pulverizados son insecticidas. La fruta fresca es recomendable para niños, ancianos y personas anémicas o desnutridas.

Usos populares: en algunas regiones, las hojas se emplean como carnada para pescar. Se cree que las raíces del anón pelón (*Anona reticulata*) son útiles en casos de epilepsia. Para que los niños tengan un sueño tranquilo, algunos campesinos les ponen bajo la almohada hojas de anón. Con la pulpa se hace un vino al parecer muy saludable.

ARÁNDANO

Vaccinium oxycoccus

UNA HISTORIA

En las zonas templadas del hemisferio septentrional, en pastos y bosques, es muy frecuente encontrar el arándano, cuyos frutos parecen haber sido parte de la alimentación humana desde 25 ó 30 siglos antes de Cristo.

CARACTERÍSTICAS

El arándano es calificado por los botánicos como un subárbol.

Tiene hojas ovaladas y sus frutos son bayas. El más común mide entre 10 y 30 cm de altura y sus tallos son angulosos, de color negroazulado. Esta fruta crece en brezales y bosques.

CONTENIDO

Gran parte de la baya es agua (de 80% a 90%). Además, es rica en vitamina C, caroteno, tiamina y riboflavina.

USOS

Se han señalado como posibles propiedades terapéuticas del arándano las siguientes: prevención de infecciones en las vías urinarias (cistitis) y de los cálculos de riñón, destrucción de virus y bacterias y limpieza de la orina.

Usos populares: el jugo de arándano se recomienda para eliminar el mal olor de la orina. Parece que también evita que ciertas bacterias se adhieran a las células de la boca. Vale la pena señalar que no es activo en todas las personas.

ÁRBOL DE PAN

Artocarpus communis **Forst.**

Otros nombres comunes

Palo de pan

Pana

Pan de fruta

Mazapán

Mapen

Castaña de Malabar

CARACTERÍSTICAS

Es un árbol frondoso originario de las islas del Pacífico Sur. Alcanza entre 10 y 15 m de altura. Sus hojas son grandes (de 7 a 11 cm) y duras, y sus frutos contienen una pulpa blancuzca, comestible. La semilla se suele cocinar o tostar. El árbol de pan, frito o cocido, es un alimento importante para ciertas comunidades del Pacífico colombiano.

CONTENIDO

Aunque se desconoce la composición exacta de esta fruta, se sabe que los azúcares constituyen entre 20% y 37%.

USOS POPULARES

El látex del fruto lo usan algunas comunidades como medicina y para calafatear o curar canoas. El árbol de pan se considera, por su composición de azúcares, un alimento muy energético.

AVELLANA

Corylus avellana **L.**

UNA HISTORIA

Al parecer los antiguos habitantes de la península italiana ya conocían el avellano, del cual se han encontrado abundantes restos fósiles. Su cultivo es muy antiguo, y actualmente su producción se extiende a las regiones del Lacio, la Campania y Sicilia. Como ha sucedido con la mayoría de las nueces, se han obtenido numerosas variedades, de diferentes características y usos diversos. Además de ser alimenticia, la avellana es frecuentemente utilizada en la elaboración de cosméticos.

CARACTERÍSTICAS
En Europa hay muchas avellanas silvestres, cuya principal ventaja es la humedad (40%). Las cultivadas, en cambio, son más secas y bajas en proteínas y grasas. Hay dos tipos principales de avellanas: una es redonda y la otra ovalada, pero se distinguen básicamente por la cáscara: la ovalada está pegada a la parte superior del fruto.

CONTENIDO
Agua, proteínas, grasa, celulosa, hidratos de carbono, vitaminas A, B_1, B_2, PP, calcio, fósforo, hierro, potasio, sodio, magnesio, azufre, silicio, cloro, aminoácidos, isoleucina, leucina, lisina, metionina, fenilalanina, treonina, triptófano, valina e histidina.

USOS
Por su riqueza en proteínas, es un alimento presente en la dieta de los vegetarianos. Proporciona energía.

Usos populares: Algunas personas lo recomiendan para fortalecer el sistema nervioso y para casos de anemia leve.

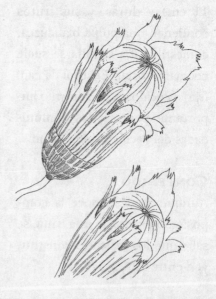

AVOCADO

Ver aguacate

BABACO

Carica pentagona **Heilb.**

UNA HISTORIA

Aunque se trata de una fruta poco conocida, la empezamos a encontrar en los supermercados de nuestras ciudades. Es originaria del sur de Colombia y la región andina de Ecuador.

CARACTERÍSTICAS

El aspecto físico del babaco es parecido al de la papaya. Se diferencia a simple vista por las cinco caras o aristas que recorren la fruta en sentido vertical. Llega a tener en promedio 1 kg de peso. Como no contiene semillas, la forma más fácil de reproducirla es por medio de estacas. Es de agradable aroma y sabor.

CONTENIDO

Es una fruta interesante de investigar. Su apariencia hace pensar que contiene agua, carbohidratos, proteínas, grasas, cenizas y minerales.

USOS

Es necesario investigar más las propiedades medicinales de esta fruta; quizás sus inmensas posibilidades están por descubrir.

Usos populares: de valor nutritivo, es utilizada como fruta digestiva. Es rica en vitaminas.

BADEA

Passiflora quadrangularis **L.**

Otros nombres comunes
Parcha granadina
Parcha de Guinea
Granadilla
Tumbo
Corvejo
Badera

UNA HISTORIA

La badea es de origen americano y forma parte de la vegetación de nuestro continente desde México, pasando por Centroamérica y las Antillas, hasta el centro de Suramérica.

CARACTERÍSTICAS

La badea es una enredadera de follaje abundante y brillante, de color verde claro. Las flores son de un color intenso; predominan el verde claro, el blanco, el rosa y el rojo. Los frutos, también verdes claros, son grandes, con una superficie muy blanda y dividida longitudinalmente por tres surcos poco profundos. Encierra una pulpa ligeramente dulce, fragante y salpicada de pocas semillas.

CONTENIDO

100 g de pulpa contienen 87,9 g de agua; 10,1 de carbohidratos; 0,9 de proteínas; 0,2 de grasa y 0,9 de cenizas. En miligramos: 22 de fósforo, 20 de ácido ascórbico; 10 de calcio; 2,7 de niacina y 0,6 de hierro. Vitamina A: 70 U.I.

USOS POPULARES

La pulpa, por ser fragante y refrescante, se utiliza en la preparación de sorbetes, jugos, batidos, helados y dulces. La fruta se utiliza en la elaboración de productos farmacéuticos, en especial sedantes suaves y antiespasmódicos. Procura alivio a las úlceras pépticas y tiene efectos diuréticos y sedantes. Se recomienda para subir las defensas del organismo en niños y personas mayores.

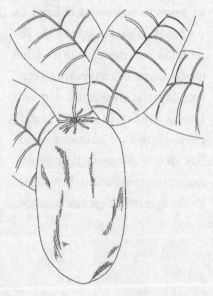

BANANO

Musa sapientum

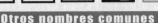
Otros nombres comunes

Banano común

Banana

Habano

Guineo

Cambur

Gross Michel
El banano llamado bocadillo
se conoce también como
plátano bocadillo, banano
chiquito y murrapo.

UNA HISTORIA

El origen del banano no se conoce con certeza. El género *Musa* produce clones. Esto quiere decir que un individuo original se multiplica de forma asexual (por estacas, injerto, división, etc.) dando origen así a un conjunto de clones. Su patria se encuentra en el sudeste asiático, una zona húmeda y lluviosa. Durante la Edad Media se le conoció como *pomum paradisi*, pues los cristianos creían que era la fruta prohibida por Dios y de la cual se sirvió la serpiente para atraer a Eva. Hacia 1402 fue llevada a las islas Canarias por los portugueses. Pasó a América en 1516, cuando un fraile de la comunidad dominica sembró un clon en Santo Domingo.

CARACTERÍSTICAS

El banano común es una de las frutas más populares del mundo. Su consumo forma parte de la dieta de millones de personas. Tiene forma cilíndrica, algo curva; su cáscara es amarilla, con manchas pardas, y su pulpa blanca, de olor agradable y sabor dulce. El banano bocadillo tiene las mismas características, pero es de menor tamaño y su cáscara más delgada. Personalmente prefiero este último, pues rara vez es insípido.

CONTENIDO

100 g de pulpa contienen 74,8 g de agua; 1,2 de proteínas; 0,1 de grasa; 22 de carbohidratos; 1 de fibra y 0,9 de cenizas. En miligramos: 6 de calcio; 25 de fósforo;

0,5 de hierro; 0,04 de tiamina; 0,03 de riboflavina; 0,7 de niacina y 10 de ácido ascórbico. Vitamina A: 220 U.I. Calorías: 84.

100 g de pulpa de banano bocadillo contienen 69,1 g de agua; 1,2 de proteínas; 0,1 de grasas; 27,4 de carbohidratos; 1,5 de fibra y 0,7 de cenizas. En miligramos: 5 de calcio; 26 de fósforo; 0,4 de hierro; 0,04 de tiamina; 0,04 de riboflavina; 0,5 de niacina y 10 de ácido ascórbico. Vitamina A: 200 U.I. Calorías: 104.

USOS

Por su alto valor nutritivo y fácil digestión, es una de las frutas más adecuadas para los bebés y los niños. Por lo general, los pediatras indican el momento en que puede incluirse en la dieta. Como con todas las frutas que se les dan a los pequeños, es necesario comprobar la tolerancia del organismo infantil a ella. A algunos bebés les produce estreñimiento. El banano se utiliza para compensar el choque insulínico en enfermos de diabetes. Es bueno para aumentar de peso y, con el ejercicio adecuado, contribuye a desarrollar músculos.

Usos populares: hay quienes lo llaman la fruta de la alegría, pues dicen que evita los malos humores. En Curazao las cáscaras se rallan y secan o hacen ceniza para aplicarlas en llagas, en las lesiones de herpes y en las úlceras de las piernas de los diabéticos. En algunos lugares se pone la parte interna de la cáscara madura sobre quemaduras, urticarias y forúnculos.

Consejos

Para seleccionar un buen banano, fíjese en el color y el olor. Debe estar pintón, como se dice popularmente, esto es, presentar un color amarillo ligeramente verde. Su consistencia debe ser firme, aunque no demasiado. Déjelo madurar un par de días.

BLANQUILLOS

Ver durazno

BOROJÓ

Borojoa patinoi **Cuatrecasas**

UNA HISTORIA

Esta fruta es originaria del bosque pluvial tropical-tropical (zona super húmeda tropical baja). Se empezó a estudiar hace relativamente poco tiempo. J. Cuatrecasas creó el género, y dedicó la especie a V. M. Patiño. Es un fruto muy popular en el Pacífico colombiano, y no existe información sobre su presencia en otros países.

CARACTERÍSTICAS

El árbol del borojó tiene unos 5 m de altura. Su fruto redondeado es una baya carnosa de 7 a 12 cm de largo por otros tantos de diámetro y color pardo verdoso. La pulpa es suave y aceitosa; las semillas, numerosas, están en la parte central del fruto en tabiques irregulares. El peso del borojó varía entre los 300 y 1.200 g al madurar. Es exquisito pero se negrea fácilmente, lo cual no indica que la fruta esté dañada.

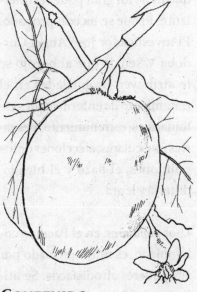

CONTENIDO

100 g de pulpa contienen 64,7 g de agua; 1,1 de proteínas o de grasa; 24,7 de carbohidratos; 8,3 de fibra y 1,2 de cenizas. En miligramos: 25 de calcio; 160 de fósforo; 1,5 de hierro. Vitaminas: 0 U.I. de vitamina A; 0,3 de tiamina; 0,1 de riboflavina; 2,3 de niacina; 3 de vitamina C.

Usos

Esta fruta es muy rica en carbohidratos, calcio y fósforo. Por lo tanto, es de alto valor nutritivo, y seguramente ofrece muchas posibilidades medicinales. Se dice que tiene un gran poder estimulante, lo que se ha comprobado. El investigador José Ángel Córdoba V. señala que al borojó se le atribuyen propiedades en el tratamiento de enfermedades estomacales, estreñimiento, desgarres musculares, afecciones de los pulmones, el bazo y el hígado, difteria y lepra.

Usos populares: en el Pacífico colombiano, es muy apreciado por sus poderes afrodisíacos. Se utiliza en la elaboración de refrescos y conservas. Es uno de los frutos tropicales altamente alimenticios, y se le atribuyen efectos positivos sobre la tiroides, los ovarios y los testículos. Baja la fiebre, es digestivo y combate el estreñimiento. Beber su jugo con miel, después de hacer ejercicio, es tonificante.

BREVA

Ficus carica L.

Otros nombres comunes

Higo (cuando está madura)

Una historia

De origen sirio, su cultivo se extendió a China e India. En la pirámide de Gizeh, en Egipto, se encuentran algunos grabados de higos. El brevo ha sido cultivado en toda la zona del Mediterráneo desde tiempos antiguos. En la Edad Media se le atribuían propiedades mágicas y medicinales a sus frutos y hojas. Los españoles trajeron este árbol a América, y crece en casi todas las poblaciones de tierra fría o templada.

Características

La breva es, en lenguaje castizo, la primera fruta, la que está aún sin madurar, y se emplea para preparar dulce. El higo es mayor y se cosecha en otoño en los países donde hay estaciones. La breva no es un fruto simple sino un agregado de frutos que consiste en un receptáculo donde maduran muchos ovarios. Por estar en una etapa previa a la madurez, no es apta para ser consumida fresca ni para la deshidratación. Cuando está madura se conoce como higo y puede comerse fresca. En ese estado la fruta toma un color oscuro, hacia el morado, y es más dulce y perfumada.

CONTENIDO

100 g de fruta comestible contienen 86,1 g de agua; 1,7 de proteínas; 0,3 de grasa; 8,6 de carbohidratos; 2,5 de fibra y 0,8 de cenizas. En miligramos: 68 de calcio; 34 de fósforo; 0,5 de hierro; 0,05 de tiamina; 0,06 de riboflavina; 0,3 de niacina y 18 de ácido ascórbico. Vitamina A: 20 U.I.

USOS

Alivia los dolores de garganta y los pulmones irritados. También se usa para los forúnculos y llagas. Como la piña y la papaya, la breva contiene ficina, un compuesto útil para tratar la inflamación crónica y la hinchazón de los tejidos blandos (usual en la artritis reumática y lesiones como tobillos torcidos o ligamentos estirados). Para ello se aplica en forma de cataplasmas. Las recetas pueden consultarse en este libro.

Usos populares: se dice que contribuye a la dilatación en el

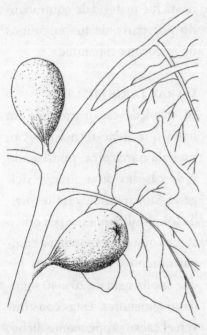

momento del parto. Se recomienda consumirla después de los 30 años para controlar la osteoporosis. Es utilizada para tratar enfermedades ginecológicas como cólicos, amenorrea y dismenorrea. También en tratamientos de belleza, para mejorar la piel y detener la caída del cabello.

CACAHUETE

Ver maní

CACAO

Theobroma cacao L.

Otros nombres comunes

Cacao dulce

Cacao criollo

Cacaotero

Cacao de Chuao

UNA HISTORIA

El árbol de cacao tiene un nombre genérico que quiere decir, en griego, alimento de los dioses.

Cacao viene del azteca *cacaguat* o *cacahoaquahuitl*, y chocolate deriva de *chocolatl*. Cuando llegaron los españoles a América, el cultivo de esta planta era practicado, desde el Caribe hasta la Amazonia, por muchas comunidades aborígenes que lo utilizaban como alimento, medicina y moneda. En 1519 el chocolate fue presentado por Moctezuma a Hernán Cortés. En la Colonia fue sinónimo de riqueza y los gobiernos lo monopolizaron; hasta fue materia de contrabando por parte de los enemigos de la corona española.

CARACTERÍSTICAS

El árbol de cacao produce un fruto que tiene forma de gran cápsula o mazorca, puntiagudo y de cáscara dura aunque delgada. Su superficie está recorrida longitudinalmente por cinco surcos que corresponden a compartimientos interiores, en los que se albergan de 20 a 40 semillas o almendras. Estas constituyen el cacao propiamente dicho.

Con las semillas desecadas se prepara el chocolate.

CONTENIDO

Agua, proteínas, grasas, potasio, carbohidratos, fibra, calcio, fósforo, hierro, cobre, tiamina, riboflavina, niacina y vitaminas A y C.

USOS

El más común es como bebida energética. Además de nutritivo y reconstituyente, el chocolate líquido, frío o caliente, es calmante, y benéfico para las enfermedades bronquiales. La manteca de cacao se utiliza en crema para la piel seca y en barra para los labios. Con cacao en polvo se hacen mascarillas que suavizan la piel madura (una receta está disponible en este libro). No se recomienda comerlo crudo, pues es de difícil digestión. Está contraindicado para las personas que sufren úlceras gástricas o duodenales, acné, hipertensión y problemas circulatorios y cardíacos.

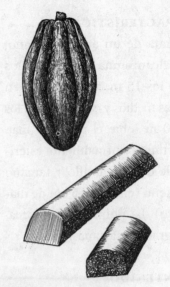

CACHIPAY
Ver chontaduro

CAIMO
Pouteria cainito **(R. y P.) Radlk.**

Otros nombres comunes
Caimito
Cauje
Luma

UNA HISTORIA

Crece en los países tropicales entre Venezuela y Perú; por tal razón lo denominamos fruta andina.

CARACTERÍSTICAS

Se trata de un árbol mediano, que alcanza una altura entre los 12 y los 15 m. Se desarrolla en climas medios y cálidos, hasta los 1.600 m sobre el nivel del mar. La fruta es normalmente esférica, de color amarillo y tamaño pequeño (entre 4 y 5 cm de diámetro). La pulpa es blancuzca, de agradable aroma y sabor.

CONTENIDO

Agua, proteínas, grasas, potasio, carbohidratos, fibra, minerales y vitaminas.

USOS POPULARES

Sus consumidores aprovechan sus vitaminas. Invitamos a los científicos a estudiar sus posibilidades alimentarias y medicinales más ampliamente.

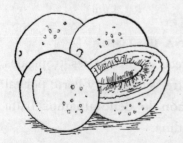

CANTALUPO

Ver melón

CAQUI

Diospyros kali

Otros nombres comunes
Kaki
Palosanto
Diospiro

UNA HISTORIA

La planta del caqui se encuentra silvestre en algunas áreas montañosas de China central y oriental, pero su cultivo es muy antiguo, no sólo en su lugar de origen sino también en Japón. En la actualidad se cultiva en el este de Asia, en Florida, en California y en el sur de Europa.

CARACTERÍSTICAS

Es una especie perteneciente a la familia de las *ebenáceas*. Su fruta, cuando no está madura, es extremadamente ácida y, en cambio, muy madura puede ser bastante dulce. La pulpa es consistente y su sabor astringente, por la abundancia de materias tánicas. Su color tiende a ser amarillo o rojo-pardo intenso.

CONTENIDO

Es una fruta rica en azúcar (en forma de glucosa). Tiene un alto porcentaje de proteínas y materias tánicas.

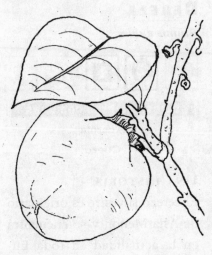

USOS

Su valor alimentario es ampliamente conocido. En compañía del marrubio, es una buena solución para contrarrestar los efectos del exceso de alcohol y los mariscos en mal estado. La receta está disponible en este libro.

CARAMBOLA
Ver kiwi

CASTAÑA
Castanea sativa

Otros nombres comunes

Castaña dulce

Castaña española

UNA HISTORIA

La especie más importante del castaño común es nativa de Europa meridional y Asia Menor. En los tiempos de Plinio se conocían ocho variedades de castañas, cada una con su nombre propio. Las mejores, según los degustadores de la época, procedían de Tarento y Nápoles. El mismo Plinio aseguraba que las castañas originales procedían de Sardi, una ciudad de Lidia, y existen testimonios de que en la corte de Creso se maravillaban de que los romanos las consumieran únicamente tostadas.

CARACTERÍSTICAS

El árbol puede crecer hasta unos 30 m de altura, y llega a edades muy avanzadas con hojas de color verde brillante. La madera es dura y fuerte, y por tal razón se emplea en construcción y ebanistería. El castaño forma bosques muy hermosos en suelos frescos.

CONTENIDO

Las castañas frescas contienen poco menos de 60% de agua y cerca de 37% de azúcares y almidón. El resto está formado por materias azoadas, celulosa, grasa y cenizas, entre las que hay sales minerales. Proporcionalmente, es importante la presencia de hidratos de carbono, mientras que de albuminoides sólo se hallan trazas.

USOS POPULARES

Sin duda, su valor nutritivo es alto. Por sus características, las castañas pueden utilizarse como sustituto del pan. Aunque en comparación con este tienen un nivel alimentario inferior, en relación con otros alimentos su valor energético es superior.

CATUCHE
Ver chirimoya

CAUJE
Ver caimo

CEREZA
Prunus avium

Otros nombres comunes

Acerola

Cuezo

UNA HISTORIA

El cerezo silvestre es originario de Asia Menor, y se encuentra en la actualidad en toda Europa. En su libro *The world is my garden*, D. Fairchild cuenta la historia de los cerezos de flor de origen japonés que en la actualidad crecen a orillas del río Potomac, en Estados Unidos. El primer despacho de cerezos japoneses que llegó a

Washington, como regalo del alcalde de Tokio al presidente norteamericano, fue puesto en cuarentena y, por tanto, la siembra se demoró. Esto provocó que los hermosos árboles se llenaran de plagas y hongos, y fue necesario quemarlos. ¡Qué desperdicio! El nuevo envío corrió con mejor suerte, y desde entonces estos espléndidos árboles se convirtieron en símbolo de la simpatía internacional.

CARACTERÍSTICAS

Este árbol puede alcanzar aproximadamente 20 m. Tiene una corteza brillante, de tonos grises y rosados, y ramificaciones abiertas verticiladas. Las hojas son oblongo-ovadas, cortas y acuminadas, aserradas y con el envés pálido. Las flores, de color blanco, se agrupan en hermosos racimos. El fruto es una drupa de color rojo con tendencia al negro.

CONTENIDO

Hierro, potasio, calcio, fósforo, sodio, magnesio, cloro, silicio y vitaminas A, B_1, B_2, B_6, B_3 y C. La corteza del árbol tiene tanino, y las hojas ácido frúsico. La cereza, además, es rica en azúcar (asimilable por los diabéticos), sales minerales, celulosa y glucosa.

USOS

La cereza es una fruta purificadora. Ayuda a limpiar de impurezas el organismo en general, y la sangre en particular, y aumenta las defensas. Contiene calcio, que beneficia los huesos; hierro, que ayuda a la formación de glóbulos rojos; cloro, sílice y azufre, que actúan como desinfectantes; y magnesio, que obra sobre las células nerviosas.

Tiene propiedades laxantes y diuréticas y es utilizada con buenos resultados por personas que sufren de gota, reumatismo y arteriosclerosis. Previene las infecciones, ciertos tipos de cáncer, las enfermedades del corazón y los accidentes cerebrovasculares.

Usos populares: gracias a su acción purificadora, parece que la cereza facilita el funcionamiento del corazón. También se consume para aumentar la memoria, fortalecer el sistema nervioso y combatir los abscesos. Las personas muy pálidas acuden a la cereza para acentuar el color de la piel.

UNA HISTORIA

Es un árbol de origen americano. Se dice que su cosecha, desde Centroamérica hasta Perú, es mejor que la de las más excelsas variedades europeas. Sin embargo, esto no pasa de ser un mito. Una de sus mejores cualidades es el poder de entretención que ejerce sobre los niños. ¿Qué pequeño se resiste a bajar una cereza madura de un árbol?

CARACTERÍSTICAS

El cerezo criollo alcanza entre 12 y 14 m. Su follaje es oscuro, sus flores pequeñas, de color blanco-verdoso, y sus frutos pequeños (entre 1 y 2 cm de diámetro). La fruta madura es de un hermoso color negro brillante.

CEREZA CRIOLLA

Prunus capuli **Cav.**

Otros nombres comunes

Cereza sabanera
Cerezo de los Andes
Cerezo de México
Capulí

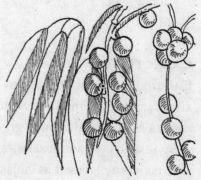

CONTENIDO

Proteínas, grasa, carbohidratos, fibra, calcio, fósforo, hierro, tiamina, riboflavina, niacina y vitaminas A y C.

USOS

No hay mucha literatura científica sobre el uso medicinal de la cereza criolla. Sin embargo, es interesante anotar que sus flores y frutas son muy apreciadas por pájaros y abejas.

CEREZA DEL PERÚ

Ver uchuva

CHAMBURO

Ver papayuela

CHICOZAPOTE

Ver níspero

CHIRIMORRIÑÓN

Ver chirimoya

CHIRIMOYA

Anona Cherimolia Mill.

Otros nombres comunes
Chirimorriñón
Chirimuyá
Anón
Catuche

UNA HISTORIA

Esta fruta americana ha sido llamada "obra maestra de la naturaleza" (Haenke), "uno de los frutos más sabrosos de América y quizás del mundo", "la misma delicia" (Pérez Arbeláez) y "una de las tres mejores frutas del mundo" (Seeman). Es propia de la cordillera colombiana y peruana, y su cultivo se ha extendido a las Antillas, Guyana y Venezuela, en zonas con climas medios entre los 1.500 y 2.000 m sobre el nivel del mar.

CARACTERÍSTICAS

Hay diferentes variedades, según las características del fruto. Las más populares son las conocidas como concha lisa, bronceada, terciopelo y pícula, esta última la más exquisita al paladar. La piel es suave, blanda y delgada, de color verde claro o grisáceo que se va oscureciendo con la madurez. La pulpa, blanca, gruesa y cremosa, tiene un delicioso aroma y un delicado sabor.

CONTENIDO

100 g de pulpa tienen 77,1 g de agua; 1,9 de proteínas; 0,1 de grasa; 18,2 de carbohidratos; 2 de fibra y 0,7 de cenizas. En miligramos: 32 de calcio; 37 de fósforo; 0,5 de hierro; 0,10 de tiamina; 0,14 de riboflavina; 0,9 de niacina y 5 de ácido ascórbico. Kilocalorías: 73.

USOS

Gracias a su contenido de azúcares y proteínas, es apreciada por su valor nutricional. Como su pulpa es muy digerible se aconseja para todas las personas, en especial las desnutridas, anémicas y con problemas digestivos. Se consume fresca.

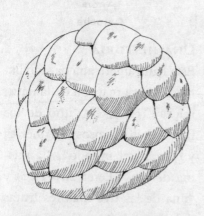

Consejos

Tenga en cuenta que esta fruta no madura bien después de separada del árbol, por lo que hay que comprarla cuando está a punto. Su piel debe presentar un color verde opaco y ser suave al tacto. No se debe guardar en la nevera porque se negrea, pero refrigerarla antes de comerla acentúa su sabor.

CHIRIMUYÁ

Ver chirimoya

CHOMPA

Ver coronillo

CHONTADURO

Bactris gasipaes H.B.K.

Otros nombres comunes

Cachipay

Chichagui

Pipire

Pejibaye

Pupugna

Tenga

Chonta

Pirijao

Pinchiguao

UNA HISTORIA

Su nombre viene de las palabras quechuas *chota* (palma) y *ruru* o *runtu* (hueso). Se dice que antes de la llegada de los españoles a América era uno de los principales alimentos de los indígenas, que utilizaban la madera de esta palma, dura y negra, en la manufactura de arcos y flechas. Cuenta J. Acosta que en los llanos colombianos los misioneros decían que "cuando fructifican las palmas de pinchiguao, los indios engordan". Entre el pueblo ticuna de la Amazonia colombiana, el chontaduro es considerado como la palmera del amor, y se cree que tiene poderes especiales en las fiestas y matrimonios. En general, esta fruta figura en las tradiciones, mitos y creencias religiosas de los pueblos del trópico húmedo americano. Se encuentra en los territorios comprendidos desde Costa Rica hasta las Guayanas, Brasil y Ecuador.

CARACTERÍSTICAS

La palma del chontaduro crece hasta unos 15 m de altura, en regiones localizadas hasta los 1.800 m sobre el nivel del mar. El tamaño de su fruto varía, lo mismo que su peso (entre 20 y 100 g) y su color (desde el verdoso hasta el amarillo o anaranjado, encendido y ocre). La fruta está cubierta por una cáscara suave y fácil de pelar. La pulpa es un tanto fibrosa y abundante. Hay que comerla cocida, pues cruda es cáustica.

CONTENIDO

100 g contienen 52,2 g de agua; 3,3 de proteínas; 4,6 de grasa; 37,6 de carbohidratos; 1,4 de fibra y 0,9 de cenizas. En miligramos: 23 de calcio; 47 de fósforo; 0,7 de hierro; 0,04 de tiamina; 0,11 de riboflavina; 0,9 de niacina y 20 de ácido ascórbico. Vitamina A: 7.300 U.I. Kilocalorías: 185.

USOS

Es un alimento completo y fácil de digerir, rico en vitamina A, sales, minerales, materias grasas, proteínas y carbohidratos. Debe cocinarse antes de comerlo, usualmente con sal. Crudo, se le utiliza fermentándolo como una chicha fuerte.

Usos populares: se le utiliza para curar la anemia, la desnutrición, la caída del cabello y la pérdida de la memoria, para fortalecer el sistema óseo y para mejorar el apetito sexual.

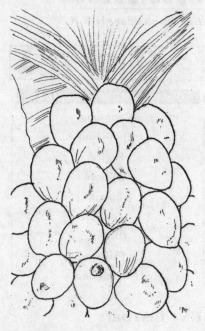

CHULUPO
Ver gulupa

CHUPA CHUPA
Ver zapote

Consejos

Al seleccionar el chontaduro, observe que sea de buen tamaño y que no esté demasiado duro.

CIRUELA

Prunus domestica L.

UNA HISTORIA

Es importante establecer la diferencia entre las ciruelas importadas (de tipo europeo) y las diversas especies que crecen en territorio americano. De las primeras, cuyo origen penetra a Transcaucasia, hay más de 400 variedades. En algunos lugares del hemisferio norte aún crece la ciruela silvestre. En Europa occidental se le conoce como endrino. Muchas de las ciruelas que se cultivan en Estados Unidos y Australia descienden de la llamada ciruela japonesa, que en realidad es de origen chino.

CARACTERÍSTICAS

Las ciruelas europeas se pueden dividir en tres grupos: las utilizadas para preparar pasas o deshidratarlas, las llamadas reina Claudia y las de huevo. Las primeras se distinguen por su forma, generalmente alargada, su color violeta oscuro y su mayor contenido de azúcar. Las segundas, en la madurez, son de color amarillo o rojo, y de corteza lisa y brillante. Las últimas son más grandes, de forma oval, y varían del amarillo al rojo.

CONTENIDO

La ciruela tiene un alto porcentaje de azúcar y es rica en vitaminas. Su principal nutriente es el potasio. Contiene una sustancia llamada *phytosterols*, que puede tener acción antiviral. Es también antibacteriana.

USOS

En conserva, fresca o deshidratada, la ciruela constituye un excelente laxante natural. Debido a su contenido de azúcar, es fuente de energía, y por eso es recomendable para personas que realizan esfuerzos físicos. Se utiliza en la prevención de la hipertensión arterial, los accidentes cerebrovasculares y los síntomas de la menopausia.

La ciruela pasa es rica en fibra y *sortitol*, y se le considera una especie de aspirina natural. Los ácidos benzoico y quínico depuran el sistema digestivo en corto tiempo. En compota o jugo, ayuda a mejorar el estreñimiento en los niños pequeños.

CIRUELA CALENTANA U HOBO

Spondia purpurea L. (Hobo colorado)
Spondia mombin L. (Hobo blanco)
Spondia citherea L. (Hobo de racimos)

Otros nombres comunes
Ciruelo
Ciruelo de Castilla
Ciruelo hobo
Jobo
Ciruelo calentano
Ciruelo de hueso
Yocote

UNA HISTORIA

El investigador Standley dice: "Según Oviedo, la savia de las raíces la tomaban [los españoles] cuando el agua faltaba".

CARACTERÍSTICAS

Esta fruta es atractiva por su sabor, apariencia y aroma. Es de piel delgada y su drupa, de 3,5 x 2,5 cm, es lisa y de color amarillo brillante cuando está madura. Como la semilla es de gran tamaño, la fruta no es muy carnosa. El árbol crece hasta 20 m de altura. Su corteza contiene gran cantidad de corcho.

CONTENIDO

Agua, proteínas, grasas, carbohidratos, calcio, fósforo, hierro, tiamina, riboflavina, niacina y vitaminas A y C.

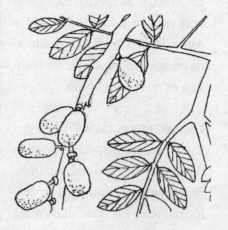

USOS
Se emplea para preparar refrescos, jugos y mermeladas. Sus propiedades medicinales aún no han sido estudiadas.

CIRUELO DE ALGODÓN
Ver icaco

COCO
Cocos nucifera L.

Otros nombres comunes
La palma se conoce como cocotero.

UNA HISTORIA
Con el árbol de pan, el trigo, el maíz, la yuca, el plátano, el fríjol y la papa, el cocotero ha sido uno de los principales recursos de la humanidad. Su cultivo es uno de los más antiguos. Distintas investigaciones han concluido que esta palma es oriunda del Pacífico americano y que de allí se dispersó hasta las lejanas islas de Oceanía y el extremo asiático.

CARACTERÍSTICAS
Hay alrededor de 40 variedades de palma de coco, que crecen desde el nivel del mar hasta los 1.500 m de altura. Este árbol alcanza hasta 15 ó 20 m, y su penacho está conformado por hojas que llegan a medir entre 3 y 4 m.

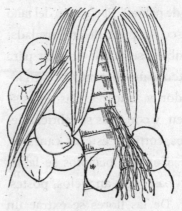

CONTENIDO
100 g de la parte comestible contienen 53,9 g de agua; 3,6 de proteínas; 27 de grasa; 10,2 de carbohidratos; 4,2 de fibra y 1,1 de cenizas. En miligramos: 7 de calcio; 80 de fósforo; 1,3 de hierro; 0,05 de tiamina; 0,02 de riboflavina; 0,5 de niacina y 5 de ácido ascórbico. Vitamina A: 0 U.I. Kilocalorías: 274.

Usos

Todas las partes de esta planta son útiles. Su tronco, que es muy resistente, se utiliza como material de construcción. De las raíces se extrae un jugo que sirve de colorante y al que se le atribuyen propiedades medicinales. La savia fermentada se bebe (vino de palma). El corazón del tallo fresco se prepara en ensalada; también se puede cocinar para obtener un alimento rico en almidón y azúcares. Las hojas se tejen, y con ellas se fabrican techos, cortinas, esteras, canastos, etc. Con sus peciolos se fabrican bastones, anzuelos, postes, etc. De las flores se extrae un jugo que, hervido y cristalizado, produce un tipo de azúcar. El fruto también es bondadoso: no sólo se come su carne y se bebe su agua, sino que se aprovecha su cáscara en múltiples productos, desde combustibles hasta elementos ornamentales.

Usos populares: la pulpa se emplea para tratar enfermedades nerviosas, pérdida de memoria, debilidad, afecciones pulmonares y cólicos. Ayuda a prevenir problemas intestinales y de la piel, y es recomendable para las enfermedades relacionadas con la vejiga. Del agua de coco se afirma que produce buen humor.

Consejos

Los cocos varían de tamaño; por eso, para calcular cantidades, tenga en cuenta que uno de tamaño mediano, de una libra de peso, produce aproximadamente dos y media tazas de pulpa rallada. No deje pasar mucho tiempo entre la apertura de la fruta y el momento de consumirla, pues pierde su gusto y sus propiedades medicinales a las pocas horas. Al seleccionar un coco, mire que el exterior de la fruta esté duro y la corteza firme, y que tenga su característico color marrón. Fíjese en que no haya moho alrededor de los ojos (son una especie de puntos negros cerca del ápice). Es recomendable refrigerar el coco fresco.

CORONILLO

Bellucia grossularioides (L.) Tr.

Otros nombres comunes

Chompa

Guayaba coronilla

Guayaba de pava

Guayabo cimarrón

Guayabo de mico

Guayabo de monte

Guayabo silvestre

UNA HISTORIA

Cuenta Rafael Romero Castañeda en su libro *Frutas silvestres de Colombia,* que "cuando se tala la selva primitiva, este árbol invade con fuerza el claro dejado por aquella. [...] Es una especie que fomenta la fauna silvestre y muy buena para repoblar hoyas hidrográficas, suelos pendientes y cercas de haciendas".

CARACTERÍSTICAS

Este árbol crece en las zonas cálidas y húmedas hasta alcanzar entre 8 y 12 m. Su fruta es de delicioso aroma, y su sabor semejante al de la guayaba. En la madurez es de color amarillo. La pulpa, blanca y abundante, contiene pequeñas semillas.

CONTENIDO

Sería muy interesante hacer un análisis más profundo sobre sus componentes y propiedades medicinales. Una fruta tan apetecida por los animales silvestres debe ser de gran provecho para el hombre.

COROZO

Scheelea butyracea Karsten

Otros nombres comunes

Cuesco

Corúa

Coyoles

Curumuta

CARACTERÍSTICAS

La palma de corozo es tan majestuosa que su sola presencia en el paisaje resulta un alimento para el espíritu. Sus deliciosos frutos, cuyo color va desde el amarillo hasta el rojo encendido, son un bello espectáculo en cualquier frutero. De la palma se cosechan al año entre diez y quince racimos, cada uno de los cuales puede tener hasta 4.000 corozos. Crece en climas muy cálidos, entre los 500 y los 1.000 m sobre el nivel del mar. En la adultez esta planta alcanza hasta 30 m de altura.

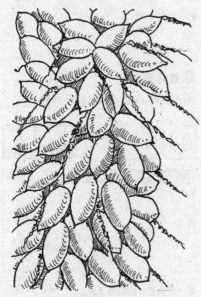

CONTENIDO

Aceite, proteínas, calcio, fósforo, hierro, vitaminas A y B y sales minerales.

USOS

Sus hojas se emplean para techar construcciones. El cogollo o palmito se come cocido en ensaladas. De la nuez se extrae un aceite utilizado como combustible en algunas regiones, y del tronco se obtiene un vino de agradable sabor. Del fruto se come la nuez.

Usos populares: se emplea para aliviar problemas pectorales y como vasodilatador. La pulpa contiene un látex digestivo.

CUEZO

Ver cereza

CURUBA

Passiflora mollisima H.B.K. Bailey

Otros nombres comunes
Curuba de Castilla
Curuba quiteña
Curuba de indio
Taxo
Parcha
Parchita
Jaxo
Taveso

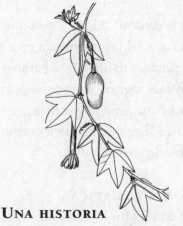

UNA HISTORIA

La familia *passiflora* debe el nombre a la forma de sus flores. En ella vieron los primeros investigadores de la especie un símbolo de la pasión de Cristo: los clavos son los tres estigmas, los pétalos representan la corona de espinas; el ovario de la flor, el cáliz; los estambres, las cinco llagas, y la lanza, las hojas.

CARACTERÍSTICAS

La planta es una enredadera que crece entre los 2.000 y 3.000 m sobre el nivel del mar. Sus tallos son largos, y sus hojas profundamente aserradas. Las flores son tubulosas y el fruto, que pende de un largo peciolo, es alargado. Tiene una cáscara delgada que encierra la carnosa pulpa y las semillas. Se encuentran comúnmente dos variedades: una silvestre, de color amarillo pálido y forma corta y gruesa, y una de forma alargada y color anaranjado. La primera tiene mejor sabor.

CONTENIDO

100 g de pulpa contienen 92 g de agua; 0,6 de proteínas; 0,1 de grasa; 6,3 de carbohidratos; 0,3 de fibra y 0,7 de cenizas. En miligramos: 4 de calcio; 20 de fósforo; 0,4 de hierro; 0,03 de riboflavina; 2,5 de niacina y 70 de ácido ascórbico. Vitamina A: 1.700 U.I. Kilocalorías: 25.

Consejos

Las mejores curubas son las que están libres de picaduras de insectos y magulladuras. Escoja la fruta ligeramente blanda y guárdela en un lugar fresco o en la nevera.

USOS

La curuba ofrece cuatro beneficios para el hombre. La fruta se come fresca o se prepara en jugos y sorbetes con leche, donde su sabor y aroma se expresan delicadamente. Por su belleza, la flor es apreciada en los jardines. Por su disposición a enredarse, es ideal para cubrir las cercas. Y de sus hojas, que tienen propiedades medicinales, se extrae la *pasiflorina*, utilizada como calmante de los nervios y para facilitar el sueño. Sería interesante investigar más los beneficios de su alto contenido de vitamina A.

DAMASCO

Ver albaricoque

DÁTIL

Phoenix dactylifera L.

UNA HISTORIA

Mahoma dijo: "Hay un árbol bendito entre todos, como el muslim entre los hombres, y esa es la datilera". El rey David afirmó que "el justo florecerá como la palmera datilera". Los árabes de hoy siguen considerándola una fruta muy provechosa, que posee "tantas aplicaciones como días tiene el año".

CARACTERÍSTICAS

El dátil es un fruto carnoso que varía de tamaño, hasta los 5 cm. Su forma es cilíndrica y alargada, y sus extremos redondeados. La cáscara es lisa y brillante, de color rojo amarillento que con la madurez tiende al color de la miel. Se produce en racimos y se come fresco o cocinado con azúcar. En general, las numerosas variedades de palmeras de dátiles se pueden subdividir en dos grupos: las que producen frutos blandos y las que producen frutos secos. Los primeros, los más apetecidos, son ricos en agua, y se conservan aún después de tenerlos en seco durante algún tiempo. La variedad más apreciada es la conocida como "rayo de sol", típica de los oasis.

CONTENIDO

Es un fruto rico en sacarosa, fibra, celulosa, agua, proteínas, hidratos de carbono, grasas, vitaminas A, B_1, B_2, PP y C, sodio, calcio, magnesio, hierro, fósforo, riboflavina, niacina, azufre, cloro, ácido cítrico y potasio. Los azúcares pueden llegar a alcanzar hasta 70% del peso. También posee preciosas sales minerales.

USOS

Por ser rica en proteínas, esta fruta tiene gran poder energético. Es ideal para deportistas y quienes tienen gran actividad física, y se recomienda para personas convalecientes o con cierto grado de desnutrición. Por su contenido de azúcares, es conveniente para los que sufren de artritis, reuma, gota y estreñimiento. Tiene elementos que combaten el insomnio y contribuyen a fortalecer el sistema nervioso. No conviene a las personas con sobrepeso ni a las que padecen enfermedades gástricas, diabetes o parásitos intestinales.

DÁTILES DE LA INDIA

Ver tamarindo

DURAZNO

Prunus persica Stokes y Zuccarini

Otros nombres comunes
Melocotón
Blanquillos

UNA HISTORIA

El durazno llegó a Grecia desde China, pasando por Persia, y luego se difundió a Roma y al resto de Europa. Cristóbal Colón trajo el melocotonero a América, donde el suelo y el clima favorecieron su rápida propagación.

En la actualidad es uno de los árboles frutales más cultivados (se puede decir que el segundo, después del manzano). Prospera siempre que las condiciones pedológicas y climáticas lo permitan.

CARACTERÍSTICAS

Las variedades de melocotón son muy numerosas, y su clasificación se basa en características como la forma de las hojas, su tamaño, su longitud, el color y la forma de las flores y, en particular, las particularidades del fruto. La carne de esta fruta varía desde un blanco casi plateado a un dorado profundo; los blancos son más tiernos y jugosos y los amarillos un poco más duros, pero con frecuencia de muy buen sabor. En algunas variedades, la carne se adhiere al hueso, mientras que en otras se separa fácil y limpiamente de este.

CONTENIDO

En la piel del durazno está la mayor parte de su valor nutritivo. Es una fruta rica en betacaroteno, potasio, vitamina C y complejo B. Contiene *phytosterols*, que son los estrógenos de las plantas, y *glutathione*, un antioxidante y anticancerígeno.

USOS

Es una fuente de energía para el cuerpo, promueve la acidez del estómago, contribuye al funcionamiento de los riñones y es un laxante natural. Se usa para combatir las náuseas durante el embarazo y para prevenir infecciones, algunos tipos de cáncer, las enfermedades del corazón, los accidentes cerebrovasculares y la hipertensión arterial. Es una de las primeras frutas con que los pediatras sugieren ampliar la dieta del bebé. Es importante vigilar que él la acepte y la disfrute antes de incorporarla definitivamente en su alimentación. A algunos niños les produce estreñimiento. En forma de compota o jugo, el durazno se utiliza para curar la soltura de estómago en los pequeños.

Usos populares: el té de hojas de melocotonero se emplea para aliviar los problemas digestivos y de estreñimiento.

FEIJOA

Acca sellowiana (Berg.) Burret.

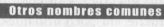
Otros nombres comunes

Freijoa

UNA HISTORIA

Es originaria de Uruguay y del sur de Brasil, y se introdujo en los países andinos a principios de este siglo. Debe su nombre a José de Silva Feijo, un botánico español de la época colonial. El nombre *sellowiana* se debe a Friedrich Sellow, un investigador alemán que exploró Brasil en el siglo pasado.

CARACTERÍSTICAS

Existen dos variedades, *triunfo* y *mammoth*. En los países andinos se cultiva entre los 2.000 y 2.700 m sobre el nivel del mar. La producción se inicia cuando la planta tiene cinco años, y a partir de entonces es permanente. La fruta, de color verde blanquecino, es ácida si no está madura, pero cuando alcanza la madurez tiene un delicado sabor, perfumado y dulce.

Consejos

Para seleccionar la fruta, inspeccione que la piel esté firme, que no tenga mordeduras de insectos ni puntos negros y que conserve su maravilloso olor. Después de haber madurado, puede guardarse en la nevera por dos o tres días. También se puede extraer la pulpa, convertirla en puré y congelarla. Para sorbetes, jugos o ensaladas, muchas personas prefieren dejar algo de cáscara.

CONTENIDO

100 g de la parte comestible contienen 82,6 g de agua; 0,9 de proteínas; 11,9 de carbohidratos; 1 de fibra y 3,6 de cenizas. En miligramos: 36 de calcio; 16 de fósforo; 0,7 de hierro; 0,04 de tiamina; 0,04 de riboflavina; 1 de niacina y 4 de ácido ascórbico.

USOS

Esta fruta es una buena aliada del cabello y de la piel. En mascarilla, contribuye a rejuvenecer el cutis.

FRAMBUESA

Rubus idaeus

UNA HISTORIA

Esta fruta crece silvestre en casi toda Europa, prácticamente desde Italia y Grecia hasta Escandinavia y Asia oriental. Al parecer se conocía desde varios siglos antes de Cristo, según se deduce de algunos restos fósiles que semejan frambuesas, encontrados en unos palafitos en Suiza.

CARACTERÍSTICAS

Aunque en Europa se encuentra en estado silvestre, está más extendida la frambuesa cultivada. Hay diferentes variedades, de las cuales la *Malling Promise* es una de las más difundidas. Sus frutos son gruesos, de color rojo fuerte, un poco brillantes y de forma tronco-cónica redondeada. Las frambuesas parecen fresas pequeñas, y su carne es jugosa y firme. Tienen un sabor menos agresivo y más aterciopelado que las fresas, pero a diferencia de ellas, tienen que consumirse en cuanto se cosechan, porque su delicado sabor comienza a perderse al cabo de unas horas.

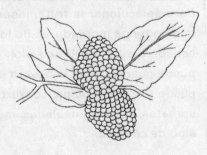

CONTENIDO

Tiene la misma cantidad de vitaminas que la naranja y el limón (25 mg de vitamina B_1 y 30 mg de vitamina C), pero mayor valor calorífico. Los hidratos de carbono constituyen entre 12% y 13%. Contiene también sales —principalmente de calcio, magnesio y hierro— y, al igual que la fresa, niacina.

USOS

Como la mayoría de las bayas, la frambuesa es un buen tónico para el corazón y la sangre. Posee un discreto poder laxante, y también actúa como diurético. Es un estimulante eficaz para la vejiga y el colon. Ayuda, además, a desactivar virus intestinales como el herpes simple. Limpia la piel y aumenta la belleza del cutis.

Usos populares: algunas mujeres beben durante el embarazo una infusión de sus hojas para aliviar los dolores del parto.

FREIJOA

Ver feijoa

FRESA

Fragaria chiloensis **Duchesne**

Otros nombres comunes

Frutilla

UNA HISTORIA

Antes del descubrimiento de América, los indígenas chilenos cultivaban fresas de gran tamaño aunque, al parecer, algo insípidas. Un capitán francés, de apellido Frazer, viajó a Europa con esta fruta y comenzó a cultivarla. Con el tiempo, se la cruzó con una de menor tamaño, y de allí surgió la fresa que se cultiva de forma industrial en la actualidad. Se cuenta que cuando los primeros colonos ingleses llegaron a Estados Unidos, se sorprendieron con la abundancia y belleza de las fresas del estado de Virginia, y que el jardinero del rey francés Luis XIII llevó a Europa ejemplares de esta variedad.

de maduración. Existen más de 1.000 especies, que se dividen en dos grandes grupos: los fresones, que se cultivan en Europa, y las frutillas, oriundas de América.

CONTENIDO

Es rica en vitamina C, potasio, manganeso y *biotin*. Contiene *phytosterols* y *polyphenol*, compuestos que parecen tener una acción antiviral, y *glutathione*, un antioxidante y anticancerígeno.

USOS

Es laxante natural, promueve la producción de orina, aumenta la eliminación de ácido úrico y fomenta el metabolismo normal del hígado, las glándulas endocrinas y el sistema nervioso. Se usa para tratar las afecciones renales, el reumatismo, los trastornos de la glándula tiroides y algunos casos de gastritis y afecciones de las vías biliares. Los diabéticos pueden aprovechar las virtudes refrescantes y diuréticas de la fresa, pues sus azúcares no son perjudiciales para

CARACTERÍSTICAS

La fresa tiene una forma peculiar que nos hace pensar en el corazón. Presenta a simple vista unos pequeños puntos amarillentos (las semillas) dispuestos alrededor, en forma geométrica y armoniosa. La fruta es producida por una pequeña planta herbácea (de entre 15 y 30 cm de altura) en la que se encuentra un peciolo, junto con las flores y frutos en diferente estado ellos. Se recomienda para prevenir infecciones, ciertos tipos de cáncer, las enfermedades del corazón, los accidentes cerebrovasculares, la hipertensión arterial y los síntomas de la menopausia. Esta fruta es excelente dentífrico y previene la acumulación de sarro en los dientes. Los pediatras no aconsejan su consumo en los niños. A algunas personas les produce alergias.

Usos populares: en diversas partes, las raíces de esta fruta son utilizadas como diurético y depurador. Se cocinan para preparar una bebida que combate la obstrucción de los riñones y el hígado y las afecciones de la piel. Hay quienes tratan su problema de gota comiendo exclusivamente fresas.

FRUTA BOMBA
Ver papaya

FRUTA DE LA PASIÓN

Ver maracuyá

FRUTILLA
Ver fresa

GRANADA
Punica granatum

UNA HISTORIA
Cuenta Isabel Allende que esta fruta "llegó a Europa junto con la invasión de los árabes. En algunos textos eróticos de Oriente se le atribuyen virtudes afrodisíacas y se asocia con ceremonias de fertilidad, de allí proviene la tradición de usar los granos en fiestas nupciales, tal como en Occidente se usa el arroz. En Grecia era la fruta ceremonial en los ritos dionisíacos, junto con uva e higos".

CARACTERÍSTICAS

El granado es un arbusto que crece silvestre en el sur de Asia, de donde es originario, y en las zonas cálidas del mundo. Si se cultiva como árbol alcanza una altura hasta de 6 m. Las ramas son delgadas y a menudo presentan espinas en las puntas; las hojas, opuestas, oblongas y brillantes, tienen de 2 a 5 cm de largo. En las puntas de las ramas salen entre una y cinco flores grandes, rojas o anaranjadas. La fruta es una baya con muchas semillas y de cáscara gruesa, en colores que van desde el amarillo amarronado hasta el rojo.

CONTENIDO

Es rica en vitamina C, proteínas, fósforo, cloro, sodio, potasio, magnesio y calcio. Contiene, además, ácido málico y pigmentos flavónicos.

USOS

Desde tiempos antiguos las semillas de esta fruta han sido utilizadas para expulsar parási-

tos como, por ejemplo, la tenia. Es estimulante del corazón y contribuye a aliviar la diarrea.

GRANADILLA
Passiflora linguralis **Jussieu.**

Otros nombres comunes
Granadita
Parcha amarilla
Parcha coloniera
Granadilla dulce
"Mocos de carbonero"
(nombre usado por el escritor Germán Arciniegas)

UNA HISTORIA

Esta hermosa fruta crece en muchos países, desde México, pasando por Centroamérica, hasta Perú y Bolivia. La granadilla prefiere las regiones comprendidas entre los 1.500 y 2.500 m sobre el nivel del mar.

CARACTERÍSTICAS

La planta es una enredadera de hojas lisas, ovaladas y de color verde grisáceo. La fruta es esférica, de aproximadamente 8 cm de diámetro y color amarillo salpicado de pecas marrones en la madurez. La cáscara es dura (aunque quebradiza) y resistente al transporte. El interior de la fruta guarda una masa de semillas y un arilo incoloro.

CONTENIDO

100 g de pulpa contienen 86 g de agua; 1,1 de proteínas; 0,1 de grasa; 11,6 de carbohidratos; 0,3 de fibra y 0,9 de cenizas. En miligramos: 7 de calcio; 30 de fósforo; 0,8 de hierro; 0,10 de riboflavina; 2,1 de niacina y 20 de ácido ascórbico.

USOS

Es la fruta amiga de los bebés. El jugo es delicioso, refrescante y muy suave al estómago; contribuye a que los niños crezcan sanos y fortalece su sistema digestivo. Por lo general, son los pediatras quienes indican en qué momento se les puede empezar a dar este jugo. Es importante observar la tolerancia del niño a la granadilla, es decir, si le gusta y si no le produce reacciones alérgicas o efectos negativos a su organismo. De ser así, puede incluirla definitivamente en la dieta. Es también una aliada de las futuras madres, porque combate la acidez que se presenta en ciertas etapas del embarazo. Para las personas que sufren de estreñimiento, el jugo

Consejos

Para seleccionar las mejores granadillas, observe que estén enteras y su cáscara lisa y brillante, sin rastros de picaduras de insectos o enfermedades. No siempre las granadillas más grandes tienen el mejor contenido: compare el tamaño y el peso. Guárdelas en un lugar fresco y aireado.

de granadilla en la mañana es de gran ayuda. La pulpa entera, con las semillas, es benéfica en los casos de úlceras y gastralgias en personas adultas.

GRANADITA

Ver granadilla

GROSELLA

Ribes nigrum, Ribes rubrum

Otros nombres comunes
Se conocen bajo este nombre tres tipos de bayas (rojas, blancas y negras).

UNA HISTORIA
Su nombre científico (*Ribes*) deriva de la palabra árabe *ribas*, con la que se designaba un tipo de ruibarbo que se cultivaba como sustancia medicinal. Alrededor del año 700 d.C., este pueblo oriental invadió y conquistó a España. En su aventura quedaron desprovistos de su apreciada *ribas*, así que buscaron una planta parecida y le

pusieron el mismo nombre. Lo curioso es que solamente la lengua italiana conserva el antiguo nombre árabe. En el siglo XVIII se consideraba que comer grosellas negras prolongaba la vida.

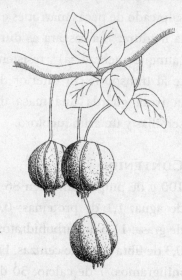

CARACTERÍSTICAS
Tanto las grosellas blancas como las negras pertenecen al género *Rubus*. Las grosellas penden, como pequeñas uvas transparentes, en racimos, y cuanto más tiempo están en el árbol, más dulces se ponen. Sin embargo, nunca llegan a ser muy dulces, y hasta las más maduras conservan un buen porcentaje de pectina.

CONTENIDO

Es rica en vitamina C, proteínas, fósforo, cloro, sodio, potasio, magnesio y calcio. La grosella negra contiene un ácido muy necesario llamado gammalino-leico (ALG).

USOS

Las grosellas benefician el sistema inmunológico y nervioso central, alivian los cólicos premenstruales y menstruales y mejoran la circulación sanguínea, al reducir los niveles de colesterol "malo". Por su contenido de ALG, contribuyen a controlar la hipertensión y las inflamaciones causadas por la artritis. Son útiles para tratar los trastornos de la piel, la gota, la fiebre y las molestias del resfriado.

Usos populares: las grosellas, en especial las negras, son ricas en vitamina C y también contienen tanino; se cree que un té de sus hojas es una bebida muy sana.

GUAMA

Inga spectabilis

Otros nombres comunes

Guama copera

Guama rabo de mico

Guama chiniva

Guama chancleta

Guama cajeta

Churima

Guaba

UNA HISTORIA

El género *inga* comprende alrededor de 200 variedades. Los nombres comunes arriba enumerados corresponden a algunas de ellas. Los árboles de guama son importantes en la flora de nuestros países porque

resultan ideales para proveer de sombrío a los cafetales; además, son rompevientos y fijan el nitrógeno al suelo. Se desarrollan hasta los 2.500 m sobre el nivel del mar, y alcanzan entre 7 y 12 m de altura.

GUANÁBANA
Annona muricata L.

Otros nombres comunes
Guanábano

Catoche

CARACTERÍSTICAS
Aunque existen variedades diferentes en tamaño y sabor, el común denominador de este fruto es una vaina que, a manera de estuche, encierra las semillas envueltas en una especie de algodón blanco. La pulpa es lo comestible; su textura es aterciopelada y su sabor dulce.

CONTENIDO
Aunque la composición de esta fruta requiere mayor investigación, se sabe que es rica en aminoácidos.

USOS POPULARES
Comer guamas parece ayudar a las personas que padecen tromboflebitis y afecciones del sistema linfático.

UNA HISTORIA
Esta fruta es originaria de la América tropical. Los españoles que llegaron a estas latitudes encontraron que se consumía desde Perú hasta México. Algunos autores afirman que la guanábana es nativa de Centroamérica, más exactamente de Guatemala o el sur de México. Junto con la chirimoya, ha sido calificada como una de las delicias del trópico.

CARACTERÍSTICAS
El árbol de la guanábana es mediano, alcanza entre 4 y 7 m de altura. Se desarrolla en climas de 20 a 25 °C y en altitudes hasta de 1.800 m. Existen diversas variedades, que se diferencian en las espinas carnosas,

el tamaño del fruto, la forma de las hojas y el tamaño del árbol. El fruto, ovoide, es más bien grande, pesa entre 5 y 12 kg y su cáscara verde oscura está tachonada de pequeñas "tetillas". La pulpa, voluminosa, blanca, cremosa, jugosa y de suave aroma, está compuesta por numerosas semillas y los "copos" o carne de la fruta. La guanábana ha sido calificada como una fruta fina por lo sustancioso de su pulpa y su sabor, que mezcla lo dulce y lo ácido.

Contenido

100 g de pulpa tienen 83,4 g de agua; 1,1 de proteínas; 0,2 de grasa; 13 de carbohidratos; 1,6 de fibra y 0,7 de ceniza. En miligramos: 22 de calcio; 28 de fósforo; 0,4 de hierro; 0,04 de tiamina; 0,07 de riboflavina; 0,9 de niacina y 25 de ácido ascórbico.

Consejos

Para escoger las mejores guanábanas, tenga en cuenta que la fruta debe sentirse blanda al tacto. Si percibe partes duras, la maduración no es muy pareja. Si selecciona una fruta que requiere maduración, métala en un recipiente con agua, comprobando que el pezón quede sumergido. Si, por el contrario, está madura y no quiere consumirla de inmediato, puede separar la pulpa de las semillas, guardarla en una bolsa plástica, cerrarla herméticamente y llevarla al congelador.

Usos

El consumo de guanábana está asociado a la buena digestión: es útil para los casos de estreñimiento, fortalece el colon y favorece la flora intestinal. Algunos autores afirman que la fruta madura es antibiliosa, antiescorbútica y vermífuga, y la recomiendan a quienes padecen enfermedades reumáticas y gota. Es una de las primeras frutas que se pueden incluir en la alimentación del bebé. Consulte con el pediatra la edad apropiada. Recuerde comprobar la tolerancia del niño a ella antes de incluirla de manera definitiva en su dieta.

Usos populares: parece que su consumo controlado contribuye a bajar de peso.

Guava

Ver guayaba

Guayaba

Psidium guajava L.

Otros nombres comunes

Guayabo
Guava
Guara

Una historia

Es nativa de América tropical. En 1526, Oviedo decía que esta fruta era "muy común" en las Indias Occidentales, y que los nativos americanos plantaban ejemplares mejorados. Los españoles la llevaron a través del Pacífico hasta Filipinas, y los portugueses a India. Con el tiempo y la ayuda de los pájaros, que se encargaron de esparcir las semillas, el árbol de guayaba se extendió por todas las regiones tropicales del Viejo Continente. En algunos lugares su dispersión se ha convertido en problema, y se le considera maleza para los pastos; por ejemplo, en 1968 se le declaró maleza nociva en las islas Fidji.

Durante la segunda Guerra Mundial se utilizó el jugo de guayaba deshidratado y pulverizado para proveer de vitamina C a las tropas aliadas.

CARACTERÍSTICAS

El tamaño del árbol fluctúa generalmente entre 2 y 8 m de altura, aunque algunas variedades alcanzan hasta 12. Su corteza es lisa y se descascara en placas, dejando al descubierto la corteza interior. Las flores son blancas y simples y se agrupan en las axilas de las hojas jóvenes. El fruto es una baya cuya forma varía desde redonda hasta aperada. El peso también cambia, entre 25 y 500 g. La cáscara puede ser blanca, amarilla y hasta rosada. En el mercado la guayaba se agrupa en dos clases: roja y blanca, según el color de la pulpa.

CONTENIDO

Es una fruta rica en carbohidratos y vitaminas A, B, C y G. Su contenido de vitamina C es entre dos y cinco veces superior al del jugo de naranja. 100 g de pulpa de guayaba roja contienen 86 g de agua; 0,9 de proteínas; 0,1 de grasa; 9,5 de carbohidratos; 2,8 de fibra y 0,7 de cenizas. En miligramos: 17 de calcio; 30 de fósforo; 0,7 de hierro; 0,05 de tiamina; 0,03 de riboflavina; 0,6 de niacina y 200 de ácido ascórbico. Vitamina A: 400 U.I. La guayaba blanca contiene las mismas cantidades, con algunas diferencias: 15 mg de calcio; 22 de fósforo; 0,6 de hierro; 0,03 de tiamina; 240 de ácido ascórbico y 0 U.I. de vitamina A.

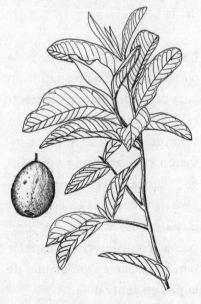

Usos

Los beneficios de la guayaba son reconocidos mundialmente. Muchas publicaciones la recomiendan para prevenir infecciones, enfermedades del corazón, ciertos tipos de cáncer y los accidentes cerebrovasculares. Es una fruta apropiada para los bebés. Antes de incluirla definitivamente en su dieta, es importante comprobar la tolerancia de los niños a la fruta. A algunos les produce estreñimiento. En jugo o compota, se usa para tratar la soltura de estómago leve en los bebés.

Usos populares: las hojas y la corteza del guayabo se utilizan para casos de diarrea. La cáscara debe aprovecharse por su valor nutritivo. Las hojas en infusión se usan como vermífugo, y para hacer gárgaras en caso de problemas en las encías o heridas en la boca. En compresas, contribuyen a cicatrizar heridas, úlceras y problemas de la piel en general.

Guayaba Coronilla

Ver coronillo

Gulupa

Passiflora vitifolia HBK.

Otros nombres comunes

Chulupo
Tacso
Granadilla
Granadillo

Una historia

El investigador Killip localiza su presencia desde Nicaragua hasta el sur de Venezuela, Ecuador y el noroeste de Perú, y también en las Antillas.

Características

Se dice que es la granadilla de los ecosistemas de páramo. La planta es una enredadera que crece hasta los 2.700 m sobre el nivel del mar. La fruta es esférica y alcanza un diámetro entre 4 y 5 cm; su cáscara es fácil de romper y de color morado cuando está en plena madurez.

Contiene numerosas semillas envueltas en un arilo de color amarillo. Se ha descrito su sabor como una combinación de granadilla y maracuyá.

CONTENIDO

Es muy semejante al de la granadilla.

USOS

Es una fruta refrescante y suave al estómago. Hay quienes la utilizan contra la acidez y el estreñimiento.

HIGO CHUMBO

Opuntia ficus-indica L. Mill.

Otros nombres comunes

Nopal

Chumbera

Higo de pala

Higo de tuna

No debe confundirse con la breva.

UNA HISTORIA

Hace alrededor de 400 años, poco después del arribo de Colón a América, desde México se exportó al antiguo continente el higo chumbo. Su difusión por las zonas templadas y cálidas de Europa meridional y África fue más bien rápida. Con el tiempo formó parte del paisaje y empezó a ser cultivado por sus magníficos frutos, que llegaron a representar un alimento de primera línea.

CARACTERÍSTICAS

Es una fruta de cáscara cuyos colores van entre el verde y el amarillo. Presenta pequeñas espinas, como la mayoría de las plantas cactáceas. Su pulpa, amarillenta o rojiza, contiene minúsculas semillas, su textura es más bien consistente y su sabor dulce y peculiar.

CONTENIDO

Agua, proteínas, hidratos de carbono, grasas, celulosa, vitaminas A, B$_1$, B$_2$, PP, C, calcio, fósforo, hierro, sodio, potasio, magnesio, azufre, silicio y cloro.

USOS

Esta fruta se recomienda a las personas que padecen estreñimiento, aunque debe comerse con precaución (si está verde puede provocar desórdenes estomacales como gases, diarrea y dolor). Para evitar el estreñimiento que causan las semillas, debe consumirse únicamente el jugo. No es recomendable su consumo en exceso, en particular para las personas con problemas gástricos, diabetes, parásitos o inflamación del hígado.

Usos populares: esta fruta se emplea para subir de peso. También parece beneficiar a quienes sufren de asma, bronquios, fatiga extrema, hipertensión, enfermedades de los riñones y retención de líquidos. Se le atribuyen propiedades purificadoras de la sangre.

HOBO

Ver ciruela calentana

ICACO

Chysobalanus Icaco L.

Otros nombres comunes

Ciruelo de algodón

Coco-plum

UNA HISTORIA

El icaco es nativo de América tropical. Crece de manera silvestre en climas cálidos hasta 1.500 m sobre el nivel del mar. Se encuentra desde el sur de Estados Unidos hasta Venezuela y Ecuador, pasando por Centroamérica y las Antillas.

CARACTERÍSTICAS

Es un arbusto frondoso de hojas redondeadas. Produce un fruto de forma esférica de unos 4 cm de largo y cáscara blanca, rosada, roja o morada. La pulpa es blanca y nos recuerda al algodón; es de sabor dulzón y contiene un hueso o semilla bastante grande. Es poco jugosa, por lo que se recomienda disfrutarla cocida en almíbar.

CONTENIDO

El icaco es rico en minerales. 100 g de pulpa contienen 84,8 g de agua; 0,3 de proteínas; 0,1 de grasa; 13,1 de carbohidratos; 1 de cenizas y 0,7 de fibra. En miligramos: 50 de calcio; 20 de fósforo; 0,3 de hierro; 0,03 de tiamina; 0,02 de riboflavina; 0,3 de niacina y 5 de ácido ascórbico.

USOS

Enrique Pérez Arbeláez, el ilustre investigador de las plantas colombianas, señala que esta planta, utilizada cruda, "es muy astringente".

KINOTO

Ver kumquat

KIWI

Actinidia sinensis

Otros nombres comunes
Carambola
Uva espina china
Coromandel

UNA HISTORIA

El kiwi es nativo de Nueva Zelanda, lugar de mayor producción mundial (cerca de 1.000 millones de frutos en 1986).

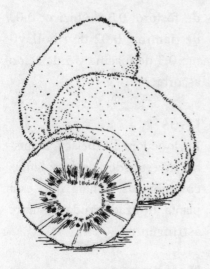

CARACTERÍSTICAS

La piel marrón y velluda que cubre a esta fruta en forma de huevo, oculta una carne verde, brillante, translúcida y de delicioso sabor. Su interior es un espectáculo visual, pues tras su insignificante apariencia externa el consumidor no espera encontrar una pulpa verde brillante adornada con semillas negras dispuestas armoniosamente.

CONTENIDO

El kiwi es rico en vitamina C, potasio (un fruto promedio contiene más de 250 mg) y magnesio. Dos kiwis tienen 240% de la vitamina C que el cuerpo necesita cada día para conservar una buena salud. También es fuente de fibra: una porción aporta 16% de la necesaria al día.

USOS

Contribuye a prevenir algunos tipos de cáncer, las enfermedades del corazón, los accidentes cerebrovasculares, la hipertensión arterial y las infecciones en general. Por su alto contenido de potasio, esta fruta es atractiva para quienes tienen la presión sanguínea alta. Se le considera un buen diurético que ayuda a eliminar el exceso de sodio en el cuerpo.

KUMQUAT

Citrus japonica o *Fortunella margarita*

Otros nombres comunes

Naranjita china

Kinoto

Una historia

El kumquat no se ha encontrado en estado silvestre. Se supone que es nativo de China, donde ha sido cultivado durante mucho tiempo, lo mismo que en Japón, Indochina y Java. Posteriormente fue introducido en las costas mediterráneas, en América y en Australia.

Características

Estas pequeñas naranjas son las más pequeñas entre las frutas cítricas. Se distinguen dos variedades, una de frutos redondos, llamada por los japoneses *narumi*, y otra de frutos ovalados, conocida como *nagami*. Su corteza es aromática, dulce y sensual.

Usos

Esta fruta parece ser benéfica para las personas que tienen la presión sanguínea alta, razón por la que se les aconseja comer un par cada noche, después de la cena. También es útil para quienes sufren de obesidad, pues constituye un alimento ligero que satisface la necesidad de dulce (corteza) y de ácido (pulpa).

LECHOSA

Ver papaya

LIMA

Citrus limetta

Otros nombres comunes

Lima dulce

Limón dulce

Limero

Limón-bergamoto

Manzana de Adán

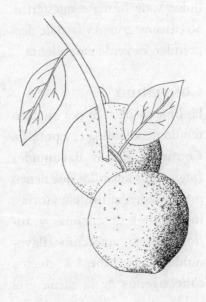

UNA HISTORIA

Fue introducida en las regiones tropicales de América por los primeros exploradores europeos. Se aclimató fácilmente y se propagó con rapidez.

CARACTERÍSTICAS

El árbol que produce la lima es más bien pequeño (alcanza poco más de 3 m). En nuestros países se produce en zonas con temperatura de 20 °C, atmósfera algo húmeda y tierra suelta y bien abonada. La fruta, de entre 5 y 6 cm de largo por 7 de ancho, es dulce y de forma semiesférica. Su cáscara, gruesa y fácil de desprender, es verde amarillenta.

CONTENIDO

La lima se destaca por su contenido de vitamina C y potasio. Contiene además flavonoides (pigmentos amarillos que tienen propiedades antiinflamatorias, inhibidoras de enzimas y antioxidantes), quercitin (flavonoide que inhibe los efectos cancerígenos de la carne y el pescado cocido) y monoterpenes (que inhibe la activación cancerígena).

USOS

Previene, al parecer, las infecciones en general, ciertos tipos de cáncer, las enfermedades del corazón, los accidentes cerebrovasculares y la hipertensión.

Usos populares: se utiliza para tratar la gota y la deshidratación, combatir la acidez, bajar la fiebre, mejorar la piel y la digestión y bajar de peso.

LIMÓN

Citrus limonum L.

Otros nombres comunes

Existen muchos tipos de limones, entre los que se encuentran el real, el rugoso, el común o de Castilla, el mandarino, el rayado, el Tahití, el eureka y el dulce.

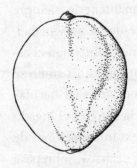

Características

El limonero es, por lo general, un árbol mediano con espinas de más de 3 cm. Crece en climas más bien cálidos, hasta los 1.700 m sobre el nivel del mar. El nombre de su flor (azahar), de deliciosa fragancia, es de origen árabe y significa flores blancas. El fruto ha sido considerado una panacea que puso Dios al alcance del hombre para curar todas las enfermedades.

Una historia

Tanto los limones como las cidras son nativos de India e Indochina. Desde aquellas regiones llegaron a España traídos por los árabes y los cruzados. Cuentan que Cristóbal Colón fue el primero en sembrar el limón en América. Desde entonces esta fruta se ha hecho indispensable en los hogares del Nuevo Mundo, y son contadas las propiedades rurales que carecen de un limonero.

Contenido

100 g contienen 91,8 g de agua; 0,3 de proteínas; 0,3 de grasa; 6,3 de carbohidratos; 1 de fibra y 0,3 de cenizas. En miligramos: 13 de calcio; 14 de fósforo; 0,4 de hierro; 0,02 de tiamina; 0,02 de riboflavina; 0,1 de niacina y 25 de ácido ascórbico. Sus principales nutrimentos son la vitamina C y el potasio. Contiene, además, unos pigmentos amarillos llamados flavonoides, de propiedades antiinflamatorias, inhibidoras de enzimas y antioxidantes. También quercitin, un

flavonoide que inhibe los efectos cancerígenos que pueden tener la carne y el pescado cocido, y monoterpenes, que inhibe la activación cancerígena.

Usos

Al parecer el limón contribuye a prevenir infecciones, ciertos tipos de cáncer, las enfermedades del corazón, los accidentes cerebrovasculares y la hipertensión arterial. Tiene propiedades antibióticas y antisépticas y, a pesar de ser una fruta ácida, es un poderoso neutralizante de la acidez de la sangre. Es útil para tratar la anemia, los resfriados, el estreñimiento, la tos y la piorrea. No se debe abusar en su consumo. Las personas con enfermedades artríticas deben consultar con el médico antes de utilizar el limón como fruta curativa.

Usos populares: son muchos los beneficios que se obtienen de esta fruta, por lo que es recomendable mantenerla siempre en casa. Desde la antigüedad, los navegantes combatían el escorbuto con limón. El zumo se utiliza para desinfectar heridas y purificar la sangre, el hígado y los riñones. Inflamaciones de la garganta, catarros, sobrepeso y otros padecimientos comunes pueden ser combatidos con esta fruta, que en general mantiene la salud y el vigor.

Consejos

Para seleccionar buenos limones, pálpelos y sienta si están llenos de jugo. Personalmente creo que los mejores ejemplares son los que presentan una cáscara lisa. Evite los que luzcan arrugados y los que no despidan fragancia. Consérvelos refrigerados o en lugar fresco. Si los guarda en la nevera, caliéntelos antes de utilizarlos, pues a través del calor los tejidos de la fruta se dilatan, con lo que se desprenderá más líquido.

LIMÓN DULCE

Ver lima

LITCHI

Litchi chinensis Sonn.

Otros nombres comunes

Lichi

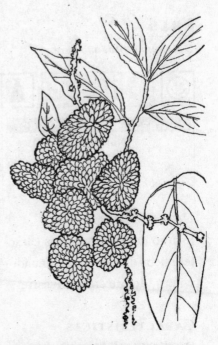

UNA HISTORIA

El litchi es originario de las tierras bajas de las provincias sureñas de Kwangtung y Fukien en China. Su cultivo se ha propagado a las regiones vecinas del sureste asiático y a algunas islas de la región. Llegó a Hawai en 1873, a Florida en 1883 y de allí a California en 1897. En ese estado se encuentran ejemplares de más de 90 años que no presentan signo alguno de decadencia.

CARACTERÍSTICAS

El árbol del litchi es muy hermoso, con su copa redondeada y su denso ramaje que comienza desde el suelo. Su fruto es algo extraño, semejante a una nuez, de 3 a 4 cm de diámetro, con una envoltura provista en la superficie de grandes tubérculos de color rojo laca. La parte comestible, una masa carnosa que recubre por completo la semilla, se encuentra en el interior de la corteza. Su sabor es dulce y su fragancia deliciosa.

USOS POPULARES

Los consumidores de esta fruta acuden a ella en busca de sus vitaminas.

LULO

Solanum quitoense **Lam.**

Otros nombres comunes

Naranjilla
Uvilla
Cuantoto
Toronja

UNA HISTORIA

Es uno de los frutos más característicos de Colombia, Ecuador y Perú, donde crece silvestre.

CARACTERÍSTICAS

De climas cálidos y medios, esta planta se encuentra fácilmente hasta los 1.900 m sobre el nivel del mar. La fruta, de forma esférica, tiene entre 4 y 5 cm de diámetro. La piel está cubierta por una pelusa urticante. La pulpa de la fruta, que contiene las semillas, va del amarillo al verde. Su sabor es ácido, y por lo general se le añade azúcar.

CONTENIDO

100 g contienen 92,5 g de agua; 0,6 de proteínas; 0,1 de grasa; 5,7 de carbohidratos; 0,3 de fibra y 0,8 de cenizas. En miligramos: 8 de calcio; 12 de fósforo; 0,6 de hierro; 0,04 de tiamina; 0,04 de riboflavina; 1,5 de niacina y 25 de ácido ascórbico. Vitamina A: 600 U.I.

Consejos

Para seleccionar la fruta adecuada, fíjese primero en el tamaño y aspecto general. El color no es tan importante, pues hay quienes prefieren la fruta verde; sin embargo, hay que señalar que demasiado joven no brinda mucho jugo. El lulo debe sentirse firme y duro al tacto y estar libre de agujeros negros o magulladuras. Hay que conservarlo en un lugar fresco o en la nevera.

Usos

El lulo es una reconocida fuente de energía. Aunque un tanto ácido, algunos pediatras lo recomiendan para los bebés de cuatro meses en adelante. Por lo general se sugiere darlo en jugo, así: 50% del extracto de la fruta y 50% de agua pura o hervida. Es muy importante observar que al bebé le guste el sabor de la fruta y que su organismo la acepte. A algunos puede producirles gases y agrieras.

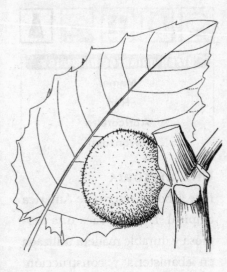

MACADAMIA

Macadamia ternifolia

Una historia

La macadamia es originaria de Australia y en la actualidad se cultiva también en la isla de Hawai, en California y Florida. Esta nuez fue un importante recurso alimentario para los aborígenes de Australia, y los colonizadores pronto la adoptaron como alimento. La primera plantación se remonta a 1870, en Queensland, y el cultivo se popularizó rápidamente: para 1890 esta deliciosa nuez ya crecía en las laderas volcánicas de Hawai. El género fue nombrado, en 1858, en honor de John Macadam, químico y médico australiano.

Características

El árbol de macadamia crece en el bosque húmedo, hasta los 20 m; cultivado, su tamaño es menor. Los retoños del árbol son de un atractivo colorido que va del rosado al bronce, mientras que las hojas adultas son verdes oscuras. En primavera produce montones de racimos de flores perfumadas. Después del florecimiento vienen las nueces, en una envoltura de color verde claro que encierra el duro cascarón marrón. Para comerlas hay que esperar a que se vuelvan marrones y caigan del árbol.

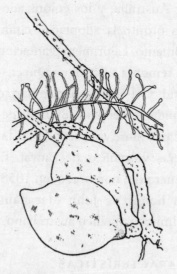

CONTENIDO

Alrededor de 76% de la nuez está compuesto de aceite monosaturado y, por tanto, no perjudicial para las arterias.

USOS POPULARES

Algunos investigadores australianos señalan que comer diariamente 20 nueces de macadamia es excelente para la salud y da energía al cuerpo. Su aceite se emplea en la industria cosmética como base de muchos productos.

MACAO
Ver mamoncillo

MAMEY
Mammea americana L.

Otros nombres comunes
Mamei
Ruri
Abricoteiro
Tezonzoptl

UNA HISTORIA

Este árbol es nativo de América tropical. De él se saca una hermosa y durable madera utilizada en ebanistería y construcción. Cuenta Enrique Pérez Arbeláez, naturalista colombiano, que "el conocimiento popular de los efectos medicinales de la leche de mamey es tan antiguo, que en su exposición en París, en 1867, Triana presentó ya muestras de ese producto singular".

CARACTERÍSTICAS

El árbol del mamey alcanza unos 20 m de altura y hasta 1 m de diámetro. Sus hojas, que son alargadas, ovaladas y espesas, miden entre 10 y 12 cm. Las flores son blancas y perfumadas. El fruto es de forma esférica, color pardo, textura áspera y superficie uniforme. La pulpa es amarilla y de un olor fuerte parecido al del melocotón.

CONTENIDO

Aunque no hay mucha literatura científica sobre esta fruta, se sabe que contiene agua, proteínas, grasas, carbohidratos, minerales y vitaminas A, C y E.

USOS POPULARES

Cuenta A. R. Morales que las semillas y la resina del árbol se han usado para controlar bioló-

gicamente las plagas, y que la fruta previene la osteoporosis.

MAMONA

Ver papaya

MAMONCILLO

Melicocca bijuga L.

Otros nombres comunes

Quenepa

Mamón

Macao

Muco

Grosella de miel

UNA HISTORIA

Esta fruta es nativa de la parte tropical de América. Crece de manera silvestre en alturas por debajo de los 1.000 m sobre el nivel del mar. Sería interesante conocer un poco más sus posibilidades. Algo que resulta particularmente atractivo de este árbol es su capacidad de crecer en suelos pobres. Quizás sembrarlo serviría para mejorar las tierras estériles.

CARACTERÍSTICAS

Se trata de un árbol que alcanza hasta 30 m de altura y cuya madera es apreciada por constructores y ebanistas. Los frutos son de forma esférica y tienen una cáscara que se desprende con facilidad del interior. La pulpa es muy delgada, de 1 a 2 mm, y es lo que se chupa.

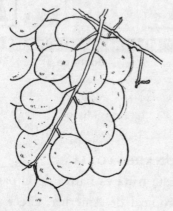

CONTENIDO

100 g de pulpa tienen 77,4 g de agua; 1 de proteínas; 0,2 de grasa; 19,2 de carbohidratos; 2 de fibra y 0,4 de cenizas. En miligramos: 15 de calcio; 20 de fósforo; 0,6 de hierro; 0,03 de tiamina; 0,02 de riboflavina; 0,9 de niacina y 3 de ácido ascórbico. Vitamina A: 70 U.I.

USOS POPULARES

Cuenta Pérez Arbeláez que los indígenas del Orinoco tuestan la semilla y la consumen en lugar del cazabe. Se utiliza como astringente y se le atribuyen propiedades diuréticas.

MANDARINA

Citrus reticulata

Otros nombres comunes

Mandarino

UNA HISTORIA

Es una fruta que nos viene de Oriente, más exactamente de Yunnan (región de China meridional) y de Laos. Hay muchas variedades, pero la más conocida es la llamada mandarina de Sicilia. Su nombre en inglés, *tangerine*, deriva de la ciudad de Tánger, al norte de África.

CARACTERÍSTICAS

Es un cítrico cuya cáscara se separa fácilmente de los gajos.

Es de color anaranjado, muy rica en jugo y de sabor generalmente dulce.

CONTENIDO

Sus principales nutrimentos son la vitamina C, el potasio y el folacin. Contiene, además, unos pigmentos antioxidantes llamados flavonoides. La mandarina es más acuosa que la naranja y su contenido de azúcares es inferior.

USOS

Es recomendada para prevenir infecciones, enfermedades del corazón, ciertos tipos de cáncer, los accidentes cerebrovasculares y la hipertensión arterial. El té de su cáscara alivia los dolores musculares y de huesos, producto de enfermedades comunes como la gripe. Es una fruta sedante, gracias a su alto contenido de bromo. También favorece el buen funcionamiento del colon.

Usos populares: La cáscara, cuando posee un rutilante color naranja, es utilizada en la medicina tradicional china.

Consejos

Para seleccionar una buena mandarina, fíjese que se sienta dura al agarrarla y que esté libre de magulladuras, manchas o mordeduras. Confíe en su olfato, al que la fruta debe ofrecer buen aroma. Cuando haga jugo incluya un poco de la parte interior de la piel, pues la vitamina C y los bioflavonoides están concentrados allí.

MANGO

Mangifera indica **L.**

Otros nombres comunes

Manga

La familia del mango agrupa 64 géneros que, según la región, reciben distintos nombres.

UNA HISTORIA

Desde hace más de 4.000 años está presente en India, su lugar de origen. Desde allí se distribuyó a Indochina y Polinesia y más tarde al resto del mundo, especialmente a los países con climas tropicales. No se sabe con precisión quién, cuándo y cómo se introdujo esta fruta en América. Una explicación posible es que lo hiciera a través de Cartagena de Indias, lugar estratégico para las naves españolas que viajaban a las Antillas, Veracruz y Filipinas.

CARACTERÍSTICAS

Es un árbol bello, corpulento y de gran crecimiento. Sus hojas siempre están verdes, excepto en su época de crecimiento (los nuevos brotes presentan una coloración rojiza antes de adquirir un verde brillante). Según la variedad, el fruto tiene diferente tamaño (entre 3 y 15 cm de largo), forma, peso (desde pocos gramos hasta dos libras) y color (desde el verde hasta el rojo). Su sabor y aroma también cambian, y por eso esta fruta complace los más diversos gustos. Existen mangos con fibra y sin ella, y son los segundos los más apetecidos por el mercado mundial.

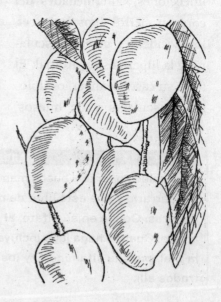

CONTENIDO

100 g de la parte comestible contienen 81,8 g de agua; 0,5 de proteínas; 0,1 de grasa; 16,4 de carbohidratos; 0,7 de fibra y 0,5 de cenizas. En miligramos: 10 de calcio; 14 de fósforo; 0,4 de hierro; 0,04 de tiamina; 0,07 de riboflavina; 0,4 de niacina y 80 de ácido ascórbico. Vitamina A: 1.100 U.I. Sus principales nutrimentos son las vitaminas C y E, betacaroteno y potasio.

USOS

Las investigaciones indican que parece prevenir las infecciones, ciertos tipos de cáncer, las enfermedades del corazón y la hipertensión arterial. Algunos médicos recomiendan incluir en la dieta esta fruta para mejorar el funcionamiento del colon. Es, además, un laxante suave y natural. Los pediatras consideran al mango una fruta amiga de los niños. Por lo general se empieza a suministrar a partir de los cuatro meses, mezclando 50% de jugo con 50% de agua pura o hervida. Es importante observar si el bebé muestra alguna reacción negativa.

Usos populares: se emplea para el escorbuto, las enfermedades relacionadas con la boca, los catarros y el dolor de estómago. Las hojas se frotan en los dientes para limpiarlos. Con el mango mezclado con miel de abejas algunas personas preparan un jarabe para la bronquitis. También se hace un té con la semilla o pepa para combatir los parásitos intestinales.

MANGOSTINO

Garcinia mangostana **L.**

Otros nombres comunes

Mangostán

Mangostín

UNA HISTORIA

El mangostino, originario del archipiélago malayo e Indonesia, en repetidas ocasiones ha sido introducido a otras regiones tropicales. Hacia 1850 se intentó cultivarlo en Australia y se plantó en Southern Queensland y Nueva Gales del Sur, sin éxito.

CARACTERÍSTICAS

Es un árbol de denso follaje que llega a tener entre 8 y 15 m de altura, y excepcionalmente 20 m. Su crecimiento es muy lento. Las flores nacen aisladas o en parejas en los extremos de las ramas; son grandes y de color amarillo cremoso con dejos de rojo. El árbol empieza a fructificar a partir de los ocho años, dependiendo del medio ambiente. La fruta es amarillenta hasta que madura, entonces puede ser púrpura o amarilla. Alcanza entre 40 y 80 cm de diámetro y un peso aproximado de 80 a 150 g. La parte comestible es el pericarpio, que es relativamente pequeño (entre 5 y 7 mm).

CONTENIDO

100 g de la parte comestible contienen 87,6 g de agua; 0,6 de proteínas; 1 de grasa; 5,6 de carbohidratos; 5,1 de fibra y 0,1 de cenizas. En miligramos: 7 de calcio; 13 de magnesio; 13 de fósforo; 7 de sodio; 45 de potasio; 1 de hierro; 0,03 de vitamina B_1; 0,03 de vitamina B_2; 0,3 de niacina y 4,2 de ácido ascórbico. Kilocalorías: 34.

USOS

Su riqueza en potasio lo hace apopiado para aquellas personas que deben seguir una dieta baja en sal.

MANÍ

Arachis hypogaea

Otros nombres comunes

Cacahuete

UNA HISTORIA

Los cacahuetes son originarios de América del Sur. Cuenta el naturalista Pérez Arbeláez que los españoles comenzaron "por hacer asco" cuando conocieron el maní. Cita a Oviedo: "Los cristianos poco caso hacen della, si no son algunos hombres bajos o muchachos, o gente que no perdona su gusto a cosa alguna. Es de poco sabor e de poca substancia e muy ordinaria legumbre de los indios, e hayla en gran cantidad".

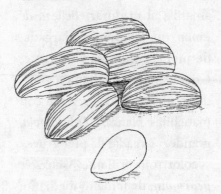

CARACTERÍSTICAS

Los cacahuetes crecen en forma muy curiosa, y por eso se les llama nueces de la tierra. Después de la fecundación de las flores, los tallos que las sostienen se doblan hacia el suelo y se hacen más largos, con lo que las pequeñas vainas quedan enterradas. Así maduran, y cada una produce dos, tres o cuatro cacahuetes.

CONTENIDO

El maní es un alimento muy valioso porque contiene abundante proteína (hasta 28%), grasa, tiamina y niacina.

USOS

Investigadores norteamericanos han determinado que el cerebro es más activo cuando se consume boro, sustancia que se encuentra en alimentos como las nueces. Una dosis de 3 1/2 onzas (2 mg) de maní al día es recomendable.

Usos populares: como otras nueces, es un gran alimento y provee al cuerpo de energía. Las personas que no toleran la leche de vaca pueden sustituirla por la de cacahuete.

MANZANA
Malus communis

UNA HISTORIA

Crece de manera silvestre en toda Europa hasta Asia Menor, donde parece haberse originado. Los griegos consideraban que las manzanas sabían a miel y curaban todas las enfermedades. En Roma, bajo el reinado del emperador Augusto, se encontraban no menos de 30 variedades. Hoy se conocen unas 7.000, de las cuales sólo se cultivan comercialmente cerca de 50. Es, sin lugar a dudas, una de las frutas más cultivadas en todo el mundo.

CARACTERÍSTICAS

El manzano es un árbol mediano de corteza gris y flores blancas o rosadas. Las hojas son elípticas, con el borde dentado y el haz tormentoso. Aunque las hay de diversos tamaños, el diámetro promedio es de 6 cm. De las diferentes variedades que existen en el mercado se pueden destacar la *Golden*, de gran tamaño, forma cónica, verde inicialmente y amarilla al madurar; *Belleza de Roma*, que es grande, alargada, de piel gruesa, roja y brillante; *Granny Smith*, mediana a grande, cónica y de color verde con manchitas blancas; *Delicia roja*, grande, alargada, de piel gruesa y color rojo brillante; *Worcester pearmain*, de tamaño mediano, cónica, firme y de dos tonos: verde y rojo; y finalmente la *Macintosh*, pequeña o mediana, de forma redonda, firme y verde o roja.

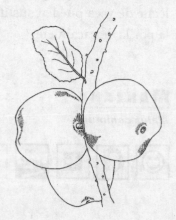

CONTENIDO

El siguiente refrán inglés expresa los beneficios que ofrece al hombre: *An apple a day keeps the doctor away* (algo así como "una manzana al día mantiene al doctor alejado"). Los principales nutrimentos que contiene son fibra soluble (pectina), cromo y sorbitol, un laxante natural. En ella también están presentes el *polyphenol* (antibacteriano) y el *glutathione* (antioxidante y anticancerígeno). Como contienen glucosa y fructosa, las manzanas proporcionan energía (una de tamaño mediano aporta unas 60 kilocalorías). También son una buena fuente de fibra.

Usos

Se utiliza para prevenir el estreñimiento. También es una buena aliada de los diabéticos no dependientes de la insulina. En general, se han encontrado las siguientes propiedades terapéuticas: es excelente para el corazón y los vasos sanguíneos, reduce el colesterol de la sangre y la presión arterial, estabiliza el azúcar en la sangre, es abundante en sustancias anticancerígenas y elimina virus infecciosos. Una recomendación: coma esta fruta con cáscara.

Usos populares: para lograr un sueño tranquilo o alejar el insomnio, se utiliza la cáscara en infusión. Se ha detectado que una o dos tajadas de manzana después de cada comida pueden reducir la caries. El contenido mineral del jugo es beneficioso para el cabello y las uñas. Es una fruta que se recomienda para los niños de todas las edades. A partir de los cuatro meses se les puede dar en compota, que suele ser muy aceptada por los pequeños. De todas maneras, vigile la tolerancia del bebé a la fruta. En compota o jugo, se usa para la soltura de estómago.

Consejos

Cuando seleccione una manzana fíjese en la fragancia y firmeza de la fruta. Aplique una suave presión alrededor de la cintura de la fruta. Si la cáscara no está firme, el interior puede salir arenoso.

MANZANITA DE ROSA

Ver pomarrosa

MARACUYÁ

Passiflora edulis Sims.

Otros nombres comunes

Parchita

Murukuyá

Murukoyá

Fruta de la pasión

UNA HISTORIA

El maracuyá pertenece a la misma familia de la curuba, la badea y la granadilla. Al parecer su lugar de origen es Brasil, de donde se dispersó a países como Kenia, Sudáfrica y Australia.

CARACTERÍSTICAS

Aunque el nombre maracuyá designa a varias especies de plantas, las más conocidas (y que encontramos en los mercados de nuestros países) son las amarillas y las rojas. Las primeras, más resistentes y productivas, tienen mayor cantidad de jugo y mejor sabor. Es una planta trepadora, vigorosa, leñosa y perenne, que llega a medir hasta 15 m de largo. La fruta es una baya que tiene entre 4 y 6 cm de largo. La variedad amarilla se desarrolla con las mejores condiciones en climas tropicales comprendidos entre los 400 y 1.200 m sobre el nivel del mar.

Consejos

Para seleccionar buenos maracuyás, compare el peso y el tamaño de los frutos. Los mejores no deben tener la cáscara lisa; por el contrario, se conoce su madurez si esta se encuentra arrugada. Consérvelos en un lugar fresco o en la nevera. Si por alguna razón particular tiene la oportunidad de cosechar esta fruta, debe saber que ella no se corta de la planta, sino que cae espontáneamente al piso en el momento adecuado. Dicen los que saben que "esta fruta no se coge sino que se recoge".

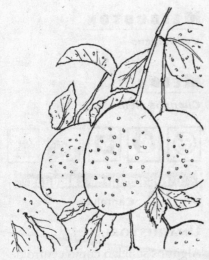

Usos populares: algunos emplean el maracuyá como sustituto del limón en recetas y remedios caseros. Parece que tiene componentes que bajan la fiebre y ayudan a reducir la presión arterial.

MARAÑÓN

Anacardium occidentale L.

Otros nombres comunes

Merey

Acajú

Cajú

Pauji-caujil

CONTENIDO

100 g de pulpa contienen 85 g de agua; 0,8 de proteínas; 0,6 de grasa; 2,4 de carbohidratos y 0,2 de fibra. En miligramos: 5 de calcio; 18 de fósforo; 0,3 de hierro; 0,1 de riboflavina; 2,24 de niacina y 20 de ácido ascórbico. Vitamina A: 684 U.I.

USOS

Ayuda a combatir el ácido úrico, ejerce una acción laxante suave, ayuda al funcionamiento del intestino y es sedante. Útil en el tratamiento de las afecciones de la próstata, la vejiga, el hígado y el sistema urinario.

UNA HISTORIA

H. H. Conrad, en *Agricultura de las Américas* (1944), identifica el origen de esta planta en Brasil, y afirma que mascar sus hojas ayuda a conservar la dentadura hasta la vejez.

CARACTERÍSTICAS

Este árbol es considerado de pequeño a mediano, pues alcanza entre 6 y 10 m. Produce unos racimos de flores rosadas, rojas o amarillas, de las cuales sólo unas pocas dan fruto. Este, de los mismos colores, está compuesto por la carne (más bien seca) y un hueso dentro del cual se halla la almendra.

CONTENIDO

A pesar de que no hay mucha información sobre esta planta, algunos autores señalan que es fuente abundante de vitamina C.

USOS

Aunque es necesaria una mayor investigación sobre los beneficios que nos ofrece esta planta, parece que su corteza en cocimiento es útil para tratar la diabetes.

Usos populares: según Pittier, el vino de marañón es uno de los mejores antidisentéricos conocidos. De la carne y la semilla se extrae un jugo utilizado como tinta indeleble y para tratar enfermedades cutáneas. Hay quienes mascan las hojas para proteger la dentadura.

MELOCOTÓN
Ver durazno

MELÓN
Cucumis melo **L.**

Otros nombres comunes

Cantalupo

UNA HISTORIA

Algunos señalan como centro de propagación de esta fruta a Irán y, de forma secundaria, a India y África, lugares donde su cultivo es muy antiguo. Un vaso antiguo procedente de Alejandría, bellamente decorado, muestra un cuerno de la abundancia con varias frutas, entre ellas un melón. En el siglo III a.C. esta fruta era cultivada por los griegos. Bernardino de Saint-Pierre, un abate del siglo XVIII, pensaba que el melón era el fruto de la familia porque puede dividirse perfectamente en rodajas. Ya en el siglo XV, era popular en Europa, de donde pasó a las Antillas y a la América tropical.

CARACTERÍSTICAS

Su planta es rastrera, de tallos largos, ramificados, hirsutos y angulosos. Sus frutos, de exquisito aroma, son de diferentes tamaños y colores. Hay diversas variedades de melones. Los más conocidos se dividen en dos grupos: reticulados (*Golden Delight, Gold Cup* y *Hale's Best*) y cantalupos (*Verde Trepador, Canta-* *lupo Charentais* y *Cantalupo de Bellegarde*).

CONTENIDO

100 g de pulpa tienen 94,6 g de agua; 0,3 de proteínas; 4,1 de carbohidratos; 0,5 de fibra y 0,5 de cenizas. En miligramos: 13 de calcio; 14 de fósforo; 0,2 de hierro; 0,02 de tiamina; 0,01 de riboflavina; 0,4 de niacina y 22 de ácido ascórbico. Vitamina A: 130 U.I. Sus principales nutrimentos son la vitamina C, el betacaroteno, el potasio y el magnesio. Contiene además carotenoides, pigmentos amarillos y rojos que actúan como antioxidantes; adenosina, que previene la coagulación de la sangre; y *glutathione*, antioxidante y anticancerígeno.

Consejos

Para seleccionar un buen melón confíe en su olfato. La fruta que no expida un agradable olor no tiene buen sabor. Aunque el color cambia según la variedad, no es recomendable seleccionar la fruta verde, pues no madura muy bien en casa. Para asegurarse de su estado de maduración, presione el ápice en el extremo superior: debe encontrarse ligeramente más blando que el resto de la cáscara. Puede guardarse en lugar fresco o en la nevera.

USOS

Varios autores señalan que esta fruta puede recomendarse para prevenir infecciones, ciertos tipos de cáncer, las enfermedades del corazón y la apoplejía. Tiene propiedades diuréticas y calmantes, estimula el apetito, aumenta la producción de orina, parece que rejuvenece los tejidos y es útil para tratar las afecciones de la piel y los trastornos nerviosos. Los pediatras recomiendan su jugo a partir de los cuatro meses. Es aconsejable, antes de incluir esta fruta de manera definitiva en la dieta del bebé, comprobar que le guste y que no desarrolle ningún rechazo a ella.

Usos populares: los diabéticos y las personas pasadas de peso pueden deleitarse con esta fruta, pues su contenido de azúcar es bajo. Quienes retienen líquidos o presentan dificultades para orinar pueden acudir al melón. Para casos de estreñimiento, es útil comerlo al desayuno durante una semana. Hemorroides, enfermedades reumáticas, gota, artritis e hipertensión son otros padecimientos tratados popularmente con esta fruta.

MELÓN DE AGUA
Ver sandía

MEMBRILLO
Cydonia oblonga

UNA HISTORIA

Esta fruta es originaria de Asia occidental o de Asia Menor. En Portugal la llaman marmelo, y con ella se hacía mermelada (precisamente de allí viene la palabra mermelada). Durante la Edad Media, era una fruta más bien común y se la usaba fresca, cocinada y en conserva.

CARACTERÍSTICAS

Los árboles de membrillo, que pueden vivir un siglo o más, son muy bellos, sobre todo cuando se cubren de sus flores blancas y rosadas. Son aromáticos y gratos de ver. La fruta es de color amarillo, y su forma parecida a la de la pera. En una época se creyó que los membrillos eran un tipo de pera. La fruta es dura y ácida y, por lo tanto, no resulta muy atractiva para comerla cruda.

CONTENIDO

Vitamina A, complejo B, celulosa, tanino y pectinas.

USOS

El membrillo combate la diarrea, estabiliza la digestión, estimula el apetito y contribuye al buen funcionamiento del hígado.

MEREY

Ver marañón

MORA DE CASTILLA

Rubus glaucus Bentham.

Otros nombres comunes

Mora

Morón

UNA HISTORIA

A pesar de su nombre, esta fruta es nativa de América. En nuestros países se encuentran cerca de 40 especies silvestres emparentadas con ella.

CARACTERÍSTICAS

La mora de Castilla es un fruto de color morado, brillante y atractivo. Cuando está madura su color es morado oscuro y su sabor dulce; si aún no ha completado el crecimiento es agridulce. Su forma es cónica y tiene una longitud de entre 3 y 4 cm y un diámetro de 1,5 a 2 cm. La planta es un bejuco espinoso que puede ser utilizado como barrera en cercas y que ayuda a controlar la erosión. Crece en alturas comprendidas entre los

1. 800 y 2.400 m sobre el nivel del mar.

CONTENIDO

Sus principales nutrimentos son la vitamina C y el potasio. 100 g contienen 93,3 g de agua; 0,6 de proteínas; 0,1 de grasa; 5,6 de carbohidratos y 0,4 de cenizas. En miligramos: 18 de calcio; 14 de fósforo; 1,2 de hierro; 0,02 de tiamina; 0,04 de riboflavina; 0,4 de niacina y 15 de ácido ascórbico.

USOS

Parece que ayuda a prevenir algunas infecciones de la vejiga, las enfermedades del corazón y los accidentes cerebrovasculares. Contiene *anthocyanins* (un pigmento azulado-rojizo) y un factor aún no identificado que evita que las bacterias se adhieran a las paredes de la vejiga. Es astringente y parece contribuir a aliviar la diarrea.

Usos populares: por su contenido de hierro, se la recomienda para combatir la anemia. Es una fruta depurativa, diurética y laxante suave. Su jugo se usa para bajar la fiebre.

Consejos

La mejor manera de seleccionar las moras es observar su color, que debe ser profundo. La fruta debe estar libre de magulladuras, pues una dañada acaba por estropear a las demás. Es recomendable utilizarlas frescas, pues son de difícil conservación. La manera más adecuada de prolongar su buen estado es guardándolas en la nevera.

MORA NEGRA

Ver zarzamora

MORÓN

Ver mora de Castilla

NARANJA

Citrus

Otros nombres comunes

El género *Citrus* incluye muchas clases o tipos de frutas.

UNA HISTORIA

Tanto las naranjas agrias como las dulces son nativas de China e India. Al igual que el limonero, el naranjo fue llevado a las regiones mediterráneas por los moros, y allí floreció su cultivo. Colón trajo al Nuevo Mundo semillas o naranjos jóvenes (no se sabe con precisión), y los sembró en la isla La Española, hoy República Dominicana.

CARACTERÍSTICAS

Hay muchos tipos de naranjas, entre ellos la naranja agria (*Citrus aurantium* Linn.) y la naranja dulce (*Citrus sinensis* Osbeck.), que incluye variedades como la ombligona, la García Valencia, la Valencia y la Lerma. Se han cruzado especies para formar híbridos como el tangelo (tangerina con toronja).

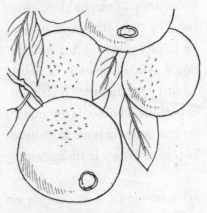

CONTENIDO

Es rica en vitamina C, potasio y folacin. Contiene, además, unos pigmentos amarillos llamados flavonoides, que tienen propiedades antiinflamatorias, inhibidoras de enzimas y antioxidantes; quercitin, un flavonoide que inhibe los efectos cancerígenos de la carne y el pescado cocidos, y monoterpenes, que inhibe la activación cancerígena.

Usos

Contribuye a prevenir infecciones, ciertos tipos de cáncer, las enfermedades del corazón, los accidentes cerebrovasculares y la hipertensión arterial. Algunos médicos la recomiendan para reducir el colesterol de la sangre. Promueve la buena digestión, previene el escorbuto, reconstruye la piel y los tejidos lesionados y ayuda a reducir la fiebre. Es útil para tratar los resfriados, la pérdida de peso, la anemia, el reumatismo, la gota, la neumonía, la piorrea y la indigestión.

Usos populares: a la cáscara en infusión se le atribuyen propiedades digestivas; se dice que evita los gases estomacales. La piel de la naranja se masca para combatir el mal aliento después de comer cebolla y ajo. Las flores del naranjo, hermosas y de un sensual olor, se utilizan en forma de té para relajar y conciliar el sueño. Las cáscaras secas se emplean en sahumerios para perfumar los ambientes.

NARANJILLA

Ver lulo

NARANJITA CHINA

Ver kumquat

NÍSPERO

Achras zapota L.
Achras chile Pittier

Otros nombres comunes

Zapote

Chicozapote

Zapatillo

Una historia

Cuenta Enrique Pérez Arbeláez, el investigador de las plantas colombianas, que "un producto valioso de los *Achras* y de *Diprolis*, género afín, es la goma usada para preparar los chicles de mascar". Esta curiosa planta es de origen americano.

Características

El níspero crece desde el nivel del mar hasta los 1.000 m de altura. Es un árbol más bien alto, alcanza en promedio unos 20 m. Sus hojas son sencillas y se acumulan en los extremos de las ramas, en donde nacen unas pequeñas flores de color blanquecino. Las semillas son de color negro brillante y se desprenden con facilidad de la cáscara.

USOS POPULARES

Aunque no han sido muy estudiadas sus propiedades medicinales, parece ser que la horchata de esta fruta es excelente para disolver cálculos nefríticos y hepáticos.

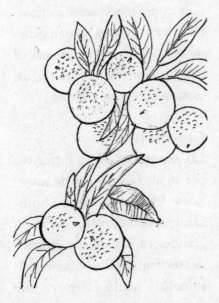

NÍSPERO DEL JAPÓN

Eriobotryra japonica Ldl.

Otros nombres comunes

Oropel

UNA HISTORIA

Esta planta es originaria de Japón y China. Su cultivo es muy antiguo, pero fue introducido a América recientemente. Se dice que tiene una madera "sonora", muy apetecida por los artesanos que fabrican instrumentos musicales.

CARACTERÍSTICAS

El árbol del níspero del Japón alcanza entre 6 y 10 m de altura. Su copa se extiende generosamente y sus hojas son de un tono verde oscuro en el haz y claro en el envés. Sus flores, blancas y aromáticas, nacen en racimos. Los frutos son bayas de aproximadamente 7 cm de largo, piel áspera y amarilla y carne blanca y tierna, que encierra las semillas. En la América tropical crece en alturas comprendidas entre los 1.600 y 1.800 m sobre el nivel del mar.

CONTENIDO

Posee, al igual que muchas otras frutas, agua, proteínas, vitaminas A y C, carbohidratos y minerales.

USOS POPULARES

Por su alto contenido de azúcar y agua, esta fruta es buena para combatir la pérdida de líquidos del cuerpo. Estimula el apetito y contribuye al crecimiento.

NOPAL

Ver higo

NUEZ

Juglans regia

UNA HISTORIA

La nuez era considerada la fruta "real" en la antigua Roma, pues se creía que brindaba salud y buena suerte. La de mejor sabor es la llamada nuez inglesa (o persa), del bello árbol *Junglans regia*, que crece en toda Europa y Asia. La nuez negra (*Junglans nigra*), nativa de América del Norte, tiene un sabor más fuerte.

CARACTERÍSTICAS

Las nueces frescas o verdes tienen la carne de color blanco perlado; su piel interior es blanda y fácil de quitar y la cáscara conserva aún rastros de humedad. Después de su primera juventud se van poniendo más secas y de consistencia más aceitosa. Las nueces negras son en general más grandes, y su cáscara es tan dura que se requiere de un cascanueces para abrirlas.

CONTENIDO

Las nueces son muy nutritivas por su alto contenido de minerales, fibra y grasas monoinsaturadas. También contienen grandes cantidades de antioxidantes, entre ellos vitamina E, selenio y ácido elárgico, que pueden proteger las arterias de los estragos del colesterol. Aunque la mayor parte de su alto contenido de grasa es grasa "buena", las nueces contribuyen a subir de peso.

USOS

La literatura médica indica que esta fruta permite bajar el colesterol "malo" de la sangre. Se cree que también regula el azúcar en la sangre. Vale la pena estudiar sus posibilidades frente al cáncer, pues se ha comprobado que contiene sustancias químicas que protegen a los animales de esta enfermedad.

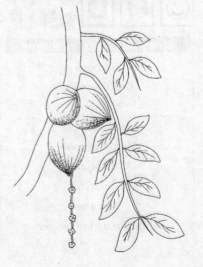

NUEZ DEL BRASIL

Bertholletia excelsa

Otros nombres comunes

Nuez del Pará

Nuez de América

Coquito del Brasil

UNA HISTORIA

Las nueces son las semillas de árboles imponentes que crecen en las selvas brasileñas sin haber sido jamás cultivados. Las semillas son recogidas y enterradas por la cotia (liebre amazónica), y las que ella se olvida de desenterrar, arraigan y crecen.

CARACTERÍSTICAS

El árbol que produce esta famosa nuez es grande (entre 30 y 40 m de altura); tiene imponentes hojas coriáceas y frutos voluminosos. Estos son del tamaño de un coco y su peso es considerable; al llegar a la madurez caen al suelo. Dentro de la cáscara, dura y leñosa, se encuentran entre doce y 20 semillas triangulares, apretadas como los gajos de una naranja.

CONTENIDO

Es rica en fibra y grasas mono-saturadas. Contiene grandes cantidades de antioxidantes, entre ellos vitamina E, selenio y ácido elárgico.

USOS POPULARES

Esta nuez constituye una gran fuente de energía; es utilizada por los vegetarianos como sustituto de la carne por su alto valor proteínico. Parece ser que una adecuada dieta que incluya nueces ayuda a controlar el colesterol.

OLIVA
Ver aceituna

OROPEL
Ver níspero del Japón

PALO DE PAN
Ver árbol de pan

PALTA
Ver aguacate

PANAMÁ
Ver papayuela

PAPAYA
Carica papaya L.

Otros nombres comunes

Lechosa
Fruta bomba
Mamona
Melón zapote
Melón papaya
Chamburo
Machavick
Mapaña
Higuera de las Indias

UNA HISTORIA

Según la opinión de los botánicos, su origen se localiza en Centroamérica, más específicamente en la zona comprendida entre el sur de México y Nicaragua. De allí su cultivo se extendió a todas las zonas tropicales y subtropicales del mundo. Gonzalo Fernández de Oviedo fue el primero en describir esta fruta. Su cultivo fue diseminado por los marinos portugueses y españoles a través de sus rutas comerciales entre los países del trópico. Se estima que hacia 1611 ya estaba arraigado en India; en el siglo XIX llegó a numerosas islas del Pacífico Sur.

CARACTERÍSTICAS

La papaya es una especie de árbol pequeño y semileñoso, de tronco hueco, que alcanza entre 8 y 9 m de altura. Sus hojas son grandes, anchas, palmadas y de color lechoso. En el tallo, las hojas y los frutos se encuentra un látex que contiene una enzima llamada papaína o papain. Cada

especie produce frutas de diferentes tamaños, desde papayas pequeñas, para una sola persona, hasta algunas enormes que pueden llegar a medir hasta 50 cm de largo.

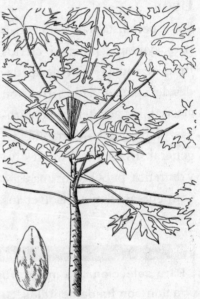

CONTENIDO

100 g de papaya sin cáscara contienen 90 g de agua; 0,5 de proteínas; 0,1 de grasa; 8,1 de carbohidratos; 0,8 de fibra y 0,5 de cenizas. En miligramos: 25 de calcio; 12 de fósforo; 0,3 de hierro; 0,03 de tiamina; 0,02 de riboflavina; 0,3 de niacina y 75 de ácido ascórbico. Vitamina A:

700 U.I. Sus principales nutrimentos son el betacaroteno, la vitamina C y el potasio. Contiene además carotenoides, que son pigmentos antioxidantes.

Usos

Los especialistas la recomiendan para ayudar a prevenir ciertos tipos de cáncer, las enfermedades del corazón, la hipertensión arterial, los accidentes cerebrovasculares y las infecciones en general. Es una fruta digestiva y diurética, pues las enzimas que contiene ayudan a disolver los alimentos. Es útil para tratar la acidosis, las úlceras, el acné, el sobrepeso, el estreñimiento y las infecciones del hígado y renales. Gracias a su azúcar natural, ayuda al organismo a coagular la sangre y a reponer la energía perdida. A los bebés, la papaya les reporta muchos beneficios. Por esta razón los pediatras la recomiendan, en jugo, como uno de los primeros alimentos después de la leche materna. Se debe observar si el bebé la disfruta y si no le produce ninguna alteración a su organismo.

Consejos

Para seleccionar la mejor fruta, el color y el punto de maduración son fundamentales. Si desea comerla el mismo día en que la compra, debe fijarse en que esté firme al tacto, aunque no dura. Prefiera las que poseen un bonito color amarillo y cuya cáscara no presente magulladuras o golpes. La papaya puede comprarse verde y dejarla madurar. Para acelerar el proceso, haga algunas incisiones sobre la cáscara, para que salga el látex, y póngala un rato al sol. Si desea conservarla, colóquela en un lugar fresco o en su refrigerador con una temperatura de 13 °C. De esta manera se retarda la maduración sin dañar la fruta. Una temperatura inferior a los 10 °C no es recomendable.

Usos populares: para algunos, la papaya es una fruta anticonceptiva. Consumir las semillas pulverizadas parece ser útil para expulsar los parásitos. Las hojas hervidas y tibias en emplasto sirven para limpiar y cicatrizar la piel.

PAPAYUELA

Carica gouditiana Tr. y Pl.

Otros nombres comunes

Chamburo
Papaya silvestre
Panamá
Papayote
Chilacuán
Tapaculo

UNA HISTORIA

Esta planta americana prefiere los climas fríos: crece en buenas condiciones hasta los 12° C y en alturas alrededor de los 2.800 m sobre el nivel del mar. No es exigente en cuanto al terreno; se adapta a los suelos pobres o poco fértiles.

CARACTERÍSTICAS

Su olor es muy aromático y agradable, no así la fruta cruda. Para disfrutar su exquisito sabor es necesario cocinarla. La fruta, en forma de elipse, alcanza entre 7 y 10 cm de largo y posee unas aristas longitudinales que le dan una curiosa configuración. El tronco, al hacerle incisiones, desprende un látex blancuzco que produce escozor si entra en contacto con la piel.

USOS POPULARES

Preparada en dulce, es recomendable como postre tras una comida muy condimentada. Ayuda a la digestión.

PARCHA

Ver curuba

PARCHA AMARILLA

Ver granadilla

PARCHA GRANADINA O DE GUINEA

Ver badea

PARCHITA

Ver maracuyá

PATILLA

Ver sandía

PEJIBAYE

Ver chontaduro

PEPINO DE ÁRBOL

Ver tomate de árbol

PERA

Pyrus communis

UNA HISTORIA

El cultivo del peral es muy antiguo; según pruebas paleontológicas, podría remontarse hasta 35 ó 40 siglos atrás. Se cree que este árbol es nativo de alguna zona de Asia occidental y de las costas del mar Caspio. Los antiguos escritores griegos y latinos lo citan con frecuencia. Homero, por ejemplo, al reseñar las plantas de la huerta de Alcinoo, menciona al peral; algunos siglos más tarde Teofrasto, Catón y Plinio hablan de él. El primero considera de manera separada las especies silvestres y las cultivadas, e indica los mejores métodos de propagación. Es interesante destacar que estos árboles tienen una vida excepcionalmente larga: pueden producir frutos durante cien años o más.

CARACTERÍSTICAS

Las variedades de peras pueden ser tantas como las de manzanas; sólo en Europa se han clasificado unas 5.000. Sin embargo, las podemos reunir en tres grupos según su forma: la pera ordinaria, la de cuello largo y forma oval, y la que es casi redonda.

Los colores también varían, desde el marrón suave y algo borroso hasta un tono verde brillante con manchas marrón oscuro, o un negro grisáceo o verde, pasando por tonos dorados con reflejos rojizos.

CONTENIDO

Su principal nutrimento es el potasio. Contiene *phytosterols* (un estrógeno de las plantas), *glutathione* (un antioxidante y anticancerígeno), vitaminas A y C, complejo B, fósforo, potasio, calcio, cloro, hierro, magnesio, sodio y azufre.

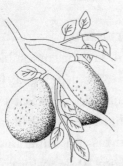

USOS

Parece que esta fruta previene la hipertensión arterial, los accidentes cerebrovasculares y los síntomas de la menopausia. En jugo o compota, es del gusto de los bebés. Se les empieza a dar, por lo general, a partir de los cuatro meses. Es necesario estar atento a la tolerancia del bebé a la fruta, pues en algunos casos puede producir estreñimiento. El jugo y la compota también son útiles para tratar la diarrea leve en los niños.

Usos populares: esta fruta se asocia con las enfermedades de la próstata. También se recomienda, en algunas ocasiones, para bajar el colesterol "malo" de la sangre. En ambos casos hay que comer pulpa y cáscara.

Consejos

Para seleccionar las mejores frutas fíjese que el tallo (la parte que estaba unida al árbol) sea flexible. Las peras están en su punto durante un breve lapso de tiempo, aunque se pueden dejar madurar en casa.

PIÑA

Ananas comosus L. Merr.

Ananá

Ananassa

Abacaxi

Yayama

UNA HISTORIA

Los investigadores ubican el origen de esta fruta en Brasil o Paraguay. Debe su nombre a los españoles, quienes la asociaron al piñón. Los indios guaraníes la llamaban ananá. Gonzalo Fernández de Oviedo hizo la primera descripción de esta planta en 1520, en la *Historia general y natural de las Indias*, publicada en 1535. Los españoles difundieron esta fruta, bien conocida por los indígenas, quienes por aquel entonces la cultivaban. Durante el siglo XVI, con el auge de la navegación portuguesa y española, se extendió, y para fines del siglo XVII era conocida en muchas regiones tropicales del planeta.

CARACTERÍSTICAS

Esta planta toma el agua que hay en la atmósfera y, por tanto, tiene gran capacidad para resistir las sequías. Es una planta perenne, de tallo corto y cubierto de hojas en su totalidad. Su tamaño varía, pues alcanza una altura de 90 cm y una extensión lateral entre 120 y 150 cm. La piña es un agregado de cien o más frutillas ligadas entre sí, cada una proveniente de una flor. Madura, es rica en azúcar.

CONTENIDO

100 g de la parte comestible contienen 85,1 g de agua; 0,4 de proteínas; 0,1 de grasa; 13,5 de carbohidratos; 0,5 de fibra y 0,4 de cenizas. En miligramos: 21 de calcio; 10 de fósforo; 0,4 de hierro; 0,09 de tiamina; 0,03 de riboflavina; 0,2 de niacina y 12 de ácido ascórbico. Sus principales nutrimentos son el potasio y el manganeso.

Usos

Contiene *phytosterols* y *bromelain* (una enzima que podría disminuir la inflamación, promover la digestión de las proteínas, mejorar el dolor de la angina y reducir la hipertensión arterial). También se recomienda la piña para prevenir los accidentes cerebrovasculares y los síntomas de la menopausia. Su inclusión en la dieta contribuye al buen funcionamiento del colon. Constituye un laxante suave y natural. Aunque es una fruta ácida, ayuda a combatir la acidez estomacal. Útil para tratar los resfriados, la gota, la ciática, la piorrea y el sobrepeso.

Usos populares: se emplea para bajar la fiebre y como tónico para las personas débiles o en estado de convalecencia. Hay quienes superan la melancolía con el jugo de esta fruta. De igual forma, se cree que cura la depresión y la pérdida de memoria. También es base para varias preparaciones destinadas a desparasitar.

Consejos

Para seleccionar la mejor fruta, fíjese que esté sana; una magulladura puede ser razón suficiente para descartarla. El color debe ser amarillo o naranja, y su aroma perceptible al olfato; y sus "ojos" deben ser grandes.

PIÑUELA

Bromelia pingüin L.
Bromelia chrysantha Jacq.

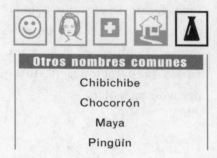

Otros nombres comunes

Chibichibe

Chocorrón

Maya

Pingüín

UNA HISTORIA

En El Salvador, la *Bromelia pingüin* es conocida por los nombres de piña de garrobo, piña corredora y motate, y sus inflorescencias se comen fritas. ¡Sería muy interesante probarlas! En Colombia se han tenido noticias de que la fara, chucha o zarigüeya encuentra la piñuela muy sabrosa. Los campesinos suelen utilizar la planta a manera de cerca o barrera natural.

CARACTERÍSTICAS

Es una planta propia de lugares áridos, que crece desde México hasta las Guayanas y las Antillas y prefiere las regiones que no sobrepasen los 500 m sobre el nivel del mar. Los frutos amarillos de la piñuela *pingüin* son esféricos, de unos 6 cm de longitud por 4 de diámetro. La pulpa es blanca, acídula, jugosa y con numerosas semillas rojas. La *Bromelia chrysantha* tiene frutos dulces y, para algunos, más sabrosos que los de su hermana. Son de menor tamaño pero no producen rasquiña en la boca. Su sabor es fuerte y ácido, parecido al de la piña.

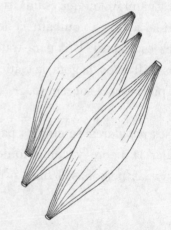

CONTENIDO

Esta fruta no ha sido profundamente estudiada y, por tanto, su composición no se conoce con exactitud.

Usos populares

Algunas personas mayores utilizan la piñuela como depurador del sistema digestivo después de una fuerte diarrea. Para ello hay que elaborar un té con la pulpa y beberlo en ayunas por seis días. Es importante comprobar la tolerancia a la fruta antes de iniciar este tratamiento.

PITAHAYA
Acanthocereus pitajaya Jacq. Dugand.

Otros nombres comunes
Pitajaja
Pitaya
Cardo ananaz

Una historia

Su nombre, que se debe a los haitianos, significa fruta espinosa. Es una fruta nativa del trópico americano; se encuentra en Colombia, Costa Rica, Curazao, Panamá y Venezuela.

Características

Hay alrededor de 18 variedades, que crecen desde el nivel del mar hasta los 1.800 m, pero su altura ideal se encuentra a partir de los 800 m. La planta es un cactus de tallos largos que prefiere las rocas para crecer y que resiste a las sequías. La fruta, de forma ovoide, alcanza hasta 10 cm de largo por 6 de ancho. Nace de color verde y al madurar se hace amarilla o roja, según la variedad. La pulpa de la primera es blanca y contiene numerosas semillitas; la segunda es roja también en su interior y posee menos sabor. La pitahaya la encontramos a lo largo de América desde la Florida hasta Perú.

Contenido

100 g de pulpa tienen 85,4 g de agua; 0,4 de proteínas; 0,1 de grasa; 13,2 de carbohidratos; 0,5 de fibra y 0,4 de cenizas. En miligramos: 10 de calcio; 16 de fósforo; 0,3 de hierro; 0,03 de tiamina; 0,04 de riboflavina; 0,2 de niacina y 4 de ácido ascórbico.

Usos

Esta fruta ayuda a limpiar el organismo y es una gran aliada contra el estreñimiento. Algunos recomiendan masticar muy bien las semillas en los casos en que se desee un purgante fuerte.

Usos populares: esta fruta es sugerida por algunos para bajar de peso. No se recomienda a personas que padezcan problemas gástricos o úlceras o que sean propensas a las alergias.

PLÁTANO

Musa paradisiaca L.

Otros nombres comunes

Este espacio está dedicado al guineo o plátano de cocinar. Son muchos sus tipos y, por lo tanto, sus nombres. Para variedades como plátano común o bocadillo, ver banano.

Consejos

Para seleccionar una buena pitahaya, pálpela: debe presentar una cáscara firme, aunque no dura. Si observa que la superficie está arrugada, la fruta se está empezando a dañar. Guárdela en lugar fresco o, si desea conservarla por más tiempo, en la nevera.

UNA HISTORIA

Parece que los plátanos en estado salvaje se hallan en India, el archipiélago malayo y Filipinas. Sin embargo, en Suramérica se han encontrado en estado fósil. No tenemos noticias de que esta fruta formara parte de la dieta de nuestros antepasados precolombinos. En algunos textos se afirma que los primeros plátanos que llegaron a Europa provenían del Caribe. Esta planta fue traída a América por los españoles y portugueses, quienes introdujeron su cultivo inicialmente en las Antillas, luego en República Dominicana y después en las Guayanas y Brasil.

CARACTERÍSTICAS

La planta es una herbácea gigante y perenne. Su tallo alcanza tamaños entre los 2 y los 6 m. La inflorescencia se presenta en forma de racimo largo y pedunculado que, con el crecimiento y el aumento de peso, lentamente se va doblando. Cada inflorescencia produce una especie de mano que no es más que el racimo

de plátanos. Crece en regiones tropicales entre el nivel del mar y los 1.800 m.

Las siguientes son las variedades de plátanos que más comúnmente encontramos en el mercado:

▪ Manzano: si madura uniformemente, es de carne muy blanca, de un exquisito sabor y un aroma que hace recordar a la manzana. En Venezuela es uno de los plátanos más corrientes.

▪ Pacífico: su cáscara es amarilla y su carne rosada. Aunque se come crudo, es muy común encontrarlo frito en la mesa.

▪ Pigmeo, indio, chino o gobernador: este plátano, que parece ser de origen chino, es el que da frutos a mayor altura sobre el nivel del mar, y es inmune a muchas enfermedades. El nombre pigmeo se debe al tamaño de la planta.

▪ Guineo o colicero: tiene la cáscara verde y la carne blanca, ligeramente rosada cuando madura. Se consume por lo general cocido y en sopa.

- Resplandor, truncho, tafetán o maritú: posee una cáscara rojiza.
- Hartón: se come verde y maduro. Es de gran tamaño y posee mayor cantidad de fécula que los demás plátanos.
- Dominico o maqueño: es más pequeño que el anterior pero sus racimos se componen de manera más densa.
- Cachaco, popocho, mataburros o "tres filos": es un poco insípido y se usa más como alimento para animales de granja.

CONTENIDO

Un plátano maduro, de un tamaño promedio, está compuesto por 74% de agua, 15% de azúcar, 4% de ácidos, 3% de almidón, 3% de proteínas y 1% de cenizas. Además, contiene vitaminas A, B_1, B_2, C y E, potasio, fósforo, sodio, magnesio, zinc, hierro y tanino.

USOS

El plátano es básico en la dieta de muchos países americanos. Incluirlo en la alimentación resulta fácil, económico y nutritivo. Brinda energía y reconforta los cuerpos cansados por el esfuerzo físico, y hay quienes dicen que hace a las personas más felices.

Usos populares: al jugo de plátano se le atribuyen propiedades astringentes. Cocinado, se usa como depurativo. Verde, parece combatir la disentería.

POMARROSA

Eugenia jambos L.

Otros nombres comunes

Manzanita de rosa

UNA HISTORIA

El género es tropical y se encuentra en todos los continentes. Se ha determinado que su lugar de origen es Indochina o Java. Su nombre científico proviene del príncipe Eugenio de Saboya, a quien le dedicaron esta planta. El hombre comparte el gusto por su sabor con algunos murciélagos, que tienen en esta fruta su principal alimento.

CARACTERÍSTICAS

El pomarroso es un árbol mediano que crece en climas semicálidos (alrededor de los 22 °C). La fruta no es más que un pericarpio carnoso de sabor dulce y perfume delicado, que encierra una o dos semillas. Su gusto es algo peculiar, podría describirse como un sabor perfumado, con aroma a pétalos de rosa.

CONTENIDO

Agua, proteínas, grasas, carbohidratos, calcio, fósforo, hierro, tiamina, riboflavina, niacina, vitaminas A y C, carbohidratos y ácido ascórbico.

USOS POPULARES

Parece que las hojas del árbol de pomarrosa en infusión benefician a las personas que sufren de la tiroides.

POMELO

Citrus paradisi

Otros nombres comunes

Pomelo blanco

Pomelo rosa

Toronja

UNA HISTORIA

Hacia el año 310 a.C., un historiador de origen griego escribió sobre el pomelo: "Se cree que la pulpa de esta fruta es un antídoto para el veneno y además endulza el aliento". Un tiempo después Plinio, naturalista romano que utilizó por primera vez la palabra cítrico, consideró al pomelo una medicina. Un capitán de apellido Shaddock dio su nombre a un cítrico que llevó a Barbados a finales del siglo XVII. A partir de él se desarrolló esta fruta, que sólo se empezó a popularizar en el siglo XX.

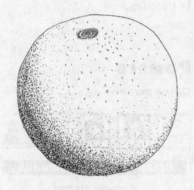

CARACTERÍSTICAS

Esta fruta está emparentada con el *grapefruit*, pero los peciolos de las hojas tienen alas más grandes. Los pomelos se presentan de manera solitaria, son más grandes y su cáscara es más gruesa. Tienen un eje hueco y la pulpa es de consistencia sólida.

CONTENIDO

Los nutrimentos que contiene esta fruta son fibra soluble (pectina), vitamina C, folacin, potasio y biotina. Además, tiene flavonoides (pigmentos de color amarillo con propiedades antioxidantes) y limonene (aceite cítrico que parece tener la propiedad de bloquear ciertos tipos de cáncer).

USOS

Se utiliza para prevenir los niveles altos de colesterol, las infecciones, las enfermedades del corazón, la hipertensión arterial y los accidentes cerebrovasculares. Algunos investigadores han afirmado que las sustancias químicas del pomelo pueden frenar la arteriosclerosis, al disolver parcialmente la placa que constriñe y endurece las arterias. Otros beneficios naturales son: ayuda a la digestión, promueve el flujo normal de la orina, contribuye a bajar de peso y es útil para tratar magulladuras, resfriados, indigestión, afecciones del oído, piorrea, fiebre y dolencias de la piel.

Usos populares: desde los tiempos antiguos, antes del descubrimiento de las vitaminas, esta fruta se empleaba como agente preventivo de ciertas enfermedades graves como el escorbuto.

QUENEPA

Ver mamoncillo

SANDÍA

Citrullus vulgaris Schrad.

Otros nombres comunes

Patilla

Melón de agua

UNA HISTORIA

Se cree que su origen es africano, pero sobre esto no existe absoluta certeza. Linneo dice que procede de Italia meridional, otros que de India; sin embargo, la hipótesis más extendida y aceptada hoy es la del origen africano.

CARACTERÍSTICAS

Las patillas son producidas por unas plantas herbáceas anuales de tamaño más bien pequeño (entre 2 y 3 m) que se arrastran sobre la tierra. Cada planta puede producir un número variable de frutos, tres, cuatro o más. Su pulpa, jugosa, dulce y fresca al paladar, es de un hermoso color rosado intenso. La cáscara, aunque dura, se parte fácilmente en tajadas. Existen hoy en el comercio diferentes variedades que pueden agruparse así: pequeñas (3 a 5 kg), como la *sugar baby*; grandes (entre 10 y 12 kg), como la *miyaco*; y finalmente las ovoidales, como la *charleston gray*. Esta última es la más corriente en los mercados andinos.

Consejos

Es recomendable comerla muy fresca.

CONTENIDO

100 g de pulpa tienen 83,4 g de agua; 1,1 de proteínas; 0,2 de grasa; 13 de carbohidratos; 1,6 de fibra y 0,7 de cenizas. En miligramos: 22 de calcio; 28 de fósforo; 0,4 de hierro; 0,04 de tiamina; 0,07 de riboflavina; 0,9 de niacina y 25 de ácido ascórbico. Sus principales nutrimentos son el potasio y la biotina.

USOS

Parece que previene la hipertensión arterial y los accidentes cerebrovasculares. Contiene sustancias que pueden produ-

cir efectos positivos en enfermedades como la artritis, las afecciones de la vejiga, renales, de la próstata y de la piel, el estreñimiento y la retención de líquidos.

Usos populares: se utiliza comúnmente para activar y limpiar al riñón. Las madres que están amamantando comen sandía para aumentar la cantidad de leche.

TACSO
Ver gulupa

TAMARINDO
Tamarindus indica

Otros nombres comunes
Dátiles de la India

UNA HISTORIA

Se cree que el tamarindo es nativo de África, y se desconoce con precisión cómo se extendió su cultivo. Probablemente fue introducido en Europa en el siglo XV. Los conquistadores españoles lo llevaron a las Antillas y a México en el siglo XVII, y desde entonces ha sido un ingrediente popular de las cocinas latinoamericanas y caribeñas. Es una planta indehiscente, o sea que abre su vaina espontáneamente.

CARACTERÍSTICAS

El árbol crece en las zonas tropicales, no más arriba de los 600 m sobre el nivel del mar. Puede alcanzar 25 m de altura y su tronco, de color pardo grisáceo, llega a 8 m de diámetro. Las hojas están dispuestas de manera alternada y tienen entre 20 y 40 hojuelas pequeñas, opuestas y oblongas. Las flores, que crecen en racimos en los extremos de las ramas, son de color amarillo pálido y tienen venas rojas en los pétalos. El fruto es una vaina delgada de color canela que mide entre 7 y 20 cm y envuelve una pulpa suave, semiblanda, parda y ácida.

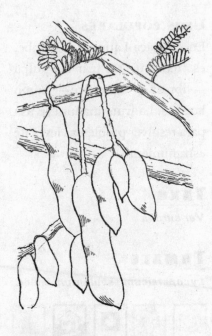

CONTENIDO

La pulpa madura contiene entre 10,8 y 15,2% de ácido tartárico, y por tal razón se considera que esta fruta estimula la evacuación intestinal. 100 g de pulpa sin semillas contienen 18,4 g de agua; 5,4 de proteínas; 0,5 de grasa; 61,3 de carbohidratos; 11,9 de fibra y 2,5 de cenizas. En miligramos: 81 de calcio; 86 de fósforo; 1,1 de hierro; 0,20 de tiamina; 0,19 de riboflavina; 2,5 de niacina y 18 de ácido ascórbico.

Usos populares

En América Latina y el Caribe, es frecuente utilizar su pulpa —fibrosa y agridulce— como laxante. La fruta madura se usa para resolver problemas leves de estreñimiento.

Taxo

Ver curuba

Tomate

Lycopersicum esculentum **Miller.**

Otros nombres comunes

Jitomate

Una historia

La palabra *tomatl* es de origen náhuatl y designa una variedad de tomate verde. Al rojo, este mismo pueblo lo llamaba *xictl-tomatl*, de donde proviene la palabra jitomate, utilizada aún en México. Los españoles llevaron este fruto a Europa con los nombres de manzana peruana y manzana de amor. Los franceses tomaron este último

nombre, *pomme d'amour*, porque creían que era afrodisíaco. Se confiaba tanto en sus poderes para el amor que se pagaban fortunas por un tomate. Los italianos lo bautizaron pomodoro, palabra que deriva del apelativo original manzana de oro. Es una de las grandes contribuciones americanas a la cocina del mundo.

Características

Aunque no es exactamente una fruta sino una hortaliza, el tomate no podía faltar en esta colección. La planta es una hierba de fuerte olor que alcanza 1 m de altura. El tamaño de sus hojas varía entre 15 y 45 cm. Sus flores son amarillas y se agrupan en ramilletes ramificados. El fruto es la prodigiosa esfera que todos identificamos y cuyas cualidades culinarias son universalmente reconocidas.

CONTENIDO

Debido a su contenido mineral, es predominantemente alcalino. Es una valiosa fuente de vitaminas C y B$_{12}$, aminoácidos vegetales, hierro, potasio, magnesio y fósforo.

USOS

Varios estudios indican que al parecer el tomate previene ciertos tipos de cáncer, además de la apendicitis. En general, se pueden señalar los siguientes beneficios naturales: proporciona energía, aumenta el metabolismo celular, estimula el apetito, mejora la actividad normal del intestino y contribuye a la digestión.

Usos populares: algunas comunidades en Papua Nueva Guinea utilizan las hojas machacadas en emplasto para ayudar a curar las heridas y llagas que no sanan. Quienes padecen de forúnculos y granos aplican el tomate crudo sobre la zona afectada para que salga el pus.

TOMATE DE ÁRBOL

Cyphomandra betacea (Cav.) Sendt.

Otros nombres comunes

Pepino de árbol

Tomate

UNA HISTORIA

La región de origen de esta simpática fruta se sitúa en la cordillera de los Andes, en territorios de Perú, Ecuador, Bolivia y Chile. Cuenta el naturalista colombiano Enrique Pérez Arbeláez que "según datos de Cramer y Zoon [el tomate de árbol], era el único fruto producido en las montañas de Java, antes de que se pidieran a Colombia otras semillas de tierra fría. Así, desde nuestros antípodas acuden a nosotros para mejorar su producción".

CARACTERÍSTICAS

Es un arbusto que crece entre 1.100 y 3.000 m sobre el nivel del mar. Alcanza hasta 3 m de altura y produce unas hojas grandes, acorazonadas, de color verde cuando están adultas y rojo cuando apenas son un brote. La fruta tiene forma de elipse y es de un vivo color anaranjado. Su cáscara es lisa y envuelve una pulpa jugosa de olor y color agradables, cuyas semillas nos hacen recordar al tomate común.

CONTENIDO

100 g de pulpa contienen 89,7 g de agua; 1,4 de proteínas; 0,1 de grasa; 7 de carbohidratos; 1,1 de fibra y 0,7 de cenizas. En miligramos: 6 de calcio; 22 de fósforo; 0,4 de hierro; 0,05 de tiamina; 0,03 de riboflavina; 1,1 de niacina y 25 de ácido ascórbico. Es rica en vitamina A (1.000 U.I.).

Consejos

Para escoger un buen tomate de árbol, fíjese en la cáscara y en su bonito color anaranjado, que significa que está maduro. La cáscara debe verse lisa, y al tacto debe sentirse un poco blanda pero firme.

USOS

Algunos pediatras recomiendan el jugo de esta fruta a partir de los cuatro meses. Se debe mezclar 50% de extracto o jugo con 50% de agua pura o hervida. Es necesario vigilar la aceptación del bebé al sabor y las reacciones de su organismo a esta nueva sustancia. En algunos casos, puede producir agrieras.

Usos populares: por su contenido de vitamina A, estimula el sistema defensivo. Algunas personas mayores la utilizan para tratar la presión arterial alta.

TORONJA

Ver pomelo

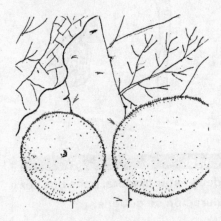

UCHUVA

Physalis peruviana **L.**

Otros nombres comunes

Uvilla
Topo-topo
Cereza del Perú
Guchuva
Tomate
Vejigón
Topetorope
Alquequenje

UNA HISTORIA

Esta fruta es nativa de América, y más concretamente de Perú. Crece en las zonas de climas fríos del trópico. En la actualidad se cultiva, y aún crece silvestre como maleza. Por sus características, se da en toda clase de suelos y tolera diferentes intensidades de luz. Es, además, por naturaleza, muy resistente a toda clase de plagas.

CARACTERÍSTICAS

Sus 45 especies son de origen americano. Se trata de una maleza cuyo cáliz, que nos hace recordar a un farol, envuelve a la fruta. La uchuva es una fruta amarilla y dulce, cuyo diámetro sólo alcanza 18 mm. Su cáscara está impregnada de una resina amarga que le sirve para protegerse de los insectos. Entre sus parientes más ilustres encontramos el tomate, la berenjena y el pimiento o pimentón.

CONTENIDO

100 g contienen 85,9 g de agua; 1,5 de proteínas; 0,5 de grasa; 11 de carbohidratos; 0,4 de fibra y 0,7 de cenizas. En miligramos: 9 de calcio; 21 de fósforo; 1,7 de hierro; 0,01 de tiamina; 0,17 riboflavina; 0,8 de niacina y 20 de ácido ascórbico. Vitamina A: 1.730 U.I.

USOS POPULARES

Es una fruta amiga de las personas con sobrepeso. Para bajar unos kilos, algunas mujeres suelen comer 20 uchuvas en ayunas. Es utilizada para combatir ciertas enfermedades de los ojos.

Consejos

La fruta que compre o recoja debe estar madura, pues una vez cosechada su proceso de maduración se detiene.

UVA

Vitis vinifera

Otros nombres comunes

A la planta se le conoce
como vid, parra o viña.

UNA HISTORIA

Desde tiempos inmemoriales, la vid ha brindado al hombre comida y bebida. Cuenta la Biblia que después del Diluvio, Noé plantó una vid, y la cuidó hasta la avanzada edad de 950 años. Los romanos extendieron esta fruta por todo su imperio, pero fueron los monjes cristianos quienes más la cultivaron. En los siglos X y XI la vid alcanzó un gran apogeo.

CARACTERÍSTICAS

Hay numerosas variedades de uvas, de las que podemos destacar las siguientes: cardinal, de granos bastante gruesos y piel negra; moscatel, de granos de tamaño medio y muy dulces; Valenci, de frutos medianos, redondos y dulces (se conocen dos variedades: una de frutos tintos y otra de blancos); y roseti, de frutos grandes, crujientes, ovalados y piel blanca.

CONTENIDO

Los nutrimentos que aporta la uva son el manganeso y el potasio. Contiene ácido *caffeic*, un agente bloqueador que puede prevenir ciertos tipos de cáncer, y tanino, que parece ser antiviral. El elemento que domina en la pulpa es el agua, en la cual están disueltas las demás sustancias.

Entre 18 y 20% lo componen azúcares en forma de glucosa y fructosa, que al ser asimilados proporcionan al organismo un número importante de calorías. También contiene buenas cantidades de sales minerales (de potasio, hierro, sodio, calcio, magnesio y fósforo) y vitamina C. Las blancas y las de poco color contienen complejo B.

USOS

La uva tiene muchos beneficios naturales: es fácil de digerir, proporciona energía, estimula el buen funcionamiento del hígado y el intestino, ayuda al flujo de la orina, hace más saludable la piel y se recomienda en las dietas para bajar de peso. Es útil para tratar ciertos tipos de cáncer, la gota, el reumatismo, la fiebre y la indigestión. Por ser nutritiva y fácil de digerir, es una fruta amiga de los niños. Los pediatras indican la edad en que puede empezar a dárseles.

Usos populares: se afirma que la uva previene la caries.

UVA ESPINA CHINA

Ver kiwi

UVILLA

Ver uchuva

ZAPATILLO

Ver níspero

ZAPOTE

Matisia cordata H. & B.

Otros nombres comunes

Chupa chupa
Sapote

UNA HISTORIA

Varios autores cuentan que el nombre científico de esta planta, nativa de los Andes colombianos, es un homenaje del sabio Mutis a Francisco Javier Mutis, quien participó con sus magníficos dibujos en la Expedición Botánica. Humboldt y Bonpland fueron los que vieron este árbol por primera vez, en 1801, cuando subían por el principal río de Colombia, el Magdalena.

CARACTERÍSTICAS

Aunque nace silvestre, el zapote también se cultiva. El árbol, hermoso y corpulento, se desarrolla en las tierras cálidas inferiores a los 1.500 m sobre el nivel del mar. Las flores nacen en grupos y producen un impresionante fruto que puede llegar a tener hasta 10 cm de diámetro. Bajo la gruesa cáscara se esconde una carne fibrosa y azucarada de un rutilante color amarillo.

CONTENIDO

100 g de la parte comestible contienen 85,1 g de agua; 1,1 de proteínas; 0,1 de grasa; 12,4 de carbohidratos; 0,6 de fibra y 0,7 de cenizas. En miligramos: 25 de cal-cio; 32 de fósforo; 1,4 de hierro; 0,05 de tiamina; 0,09 de riboflavina; 0,4 de niacina y 20 de ácido ascórbico. Vitamina A: 1.000 U.I.

USOS

La carne de la fruta es rica en fibra difícil de digerir, y por ello limpia eficazmente el intestino. Los indígenas mexicanos extraían de las semillas un aceite que empleaban para embellecer el cabello.

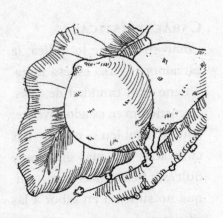

Consejos

Para seleccionar un buen zapote, busque uno del tamaño del puño de la mano. Debe estar duro y ser aromático. Las frutas más pequeñas son las de mejor sabor. Consúmalo rápidamente, pues no se conserva por mucho tiempo en casa.

ZARZAMORA

Rubus fruticosus

Otros nombres comunes

Mora negra

UNA HISTORIA

La zarzamora crece de manera exuberante en casi todas las regiones más o menos templadas del mundo. Sin embargo, en la actualidad se encuentran en los mercados bayas cultivadas.

CARACTERÍSTICAS

Como su nombre lo indica, la zarzamora es una espesa zarza, y tiene gran cantidad de púas. Se encuentra en estado silvestre, aunque también se cultiva. Las cultivadas son más grandes y dulces y tienen más jugo, aunque no superan en sabor a las silvestres.

CONTENIDO

Las zarzamoras contienen cerca de 85% de agua y 10% de excelentes azúcares. Nuestro organismo se beneficia con su consumo porque proporcionan vitamina B_1 y son ricas en sales minerales, especialmente de calcio, contenidas en una mayor proporción que en cualquier otro fruto.

USOS

Esta fruta es recomendada para la prevención de infecciones y para personas con altos niveles de colesterol e hipertensión arterial. En general, las bayas actúan como tónico para el corazón y la sangre.

La medicina popular considera a esta fruta un buen remedio para las afecciones de la boca y la garganta.

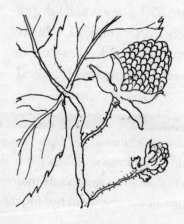

RECETAS FÁCILES PARA DOLENCIAS COMUNES

RECETAS FÁCILES
PARA DOLENCIAS COMUNES
Curas y tratamientos a su alcance

Aunque muchas investigaciones han demostrado el valor terapéutico de la fruta (fresca, en jugo, seca…), las recetas que presento a continuación no pretenden ser prescripciones médicas; más bien, conforman una guía general sobre la manera en que las frutas contribuyen al tratamiento de algunas enfermedades. Se basan en la tradición popular y en la experiencia de siglos, y bien pueden complementar las terapias formuladas por un médico.

Es importante que esté atento a los resultados. Todas las personas son diferentes; por tanto, es necesario observar los efectos de estas recetas en cada caso particular, así como la tolerancia o adaptación química de cada organismo a las frutas y sus combinaciones.

ACEITUNA

▪ Una forma de aliviar la acidez estomacal, la indigestión y las úlceras, es mezclar dos cucharadas de aceite de oliva virgen puro con la clara de un huevo y beber esta mezcla varias veces al día.

▪ Las quemaduras serias en la piel se pueden tratar con aceite de oliva y claras de huevo, cuando no hay nada más disponible en casa.

▪ El consumo frecuente de aceite de oliva crudo (en cucharadas o sobre la ensalada, por ejemplo) mejora las condiciones de la piel seca y da brillo al cabello.

▪ Para bajar el colesterol, resulta más benéfico incluir aceite de oliva en la alimentación que llevar una dieta baja en grasa.

AGUACATE

▪ Laxante: con 10 g de cáscara de aguacate, previamente lavada, y 1 litro de agua pura, haga una infusión. Durante cinco días, beba la mitad de la infusión en ayunas y la otra mitad antes de acostarse. Para un nuevo tratamiento, deje pasar por lo menos seis meses.

▪ Para las articulaciones: deje secar muy bien la semilla del aguacate, pulverícela y mézclela con miel caliente. Aplique esta preparación donde sienta dolores musculares o articulares.

▪ Malestares como dolor de cabeza, desaliento, cansancio y resfríos se alivian con una infusión de hojas de aguacate.

ALBARICOQUE

▪ Algunos investigadores afirman que la fibra soluble es el más poderoso aliado para la reducción del colesterol. Cuanto mayor sea su cantidad, mayor será su efecto. Cuatro albaricoques frescos, de tamaño mediano, le brindan 1,8 g de fibra soluble. Combine esta fruta con otros alimentos para consumir al día 6 g de fibra.

- Incluir 400 mg adicionales de potasio en su alimentación diaria puede reducir hasta en 40% los accidentes cerebrovasculares. Diez mitades de albaricoques secos contienen 482 mg.

ALMENDRA

- Si se encuentra en la etapa postmenopáusica, le convienen los alimentos ricos en boro. Incluya en su dieta diaria unas 3 onzas de almendras.

ARÁNDANO

- Estudios sobre esta fruta indican que apenas media taza de su jugo al día puede combatir las afecciones de las vías urinarias y la vejiga en personas que poseen un alto riesgo de infección.

- Para tratar la cistitis, la micción difícil o dolorosa (disuria) y las afecciones de la próstata, mezcle una taza (8 onzas) de jugo de arándano con una taza (8 onzas) de jugo de bayas. Las enfermedades de la próstata son delicadas, así que consulte a un médico. Algunos de ellos recomiendan complementar este jugo con el consumo de zinc y aceite de semillas de calabaza.

BADEA

- Jugo: se saca la pulpa, se le agrega un poco de azúcar (no mucha porque el sabor de la fruta es delicado) y se machaca con un tenedor; se coloca en cubos de hielo y se lleva a la nevera por una hora, para que suelte. A esta preparación se añade la cantidad de agua que se desee. Es recomendable beber el jugo más bien concentrado; no se exceda en la cantidad de agua. Es un tónico para el estómago.

BANANO

▪ Para elaborar una mascarilla, triture una fruta bien madura y añada miel suficiente hasta obtener una pasta suave. Aplíquela en el rostro y el pelo. Esta receta es usada por algunas estrellas de cine maduras para reafirmar la piel. También puede utilizarse en los senos: póngase un brasier o sostén viejo después de aplicarla y déjela 20 minutos.

▪ Si sufre de mal estomacal persistente (y ha descartado la úlcera), es posible que su problema sea dispepsia. Comer banano puede aliviar este malestar.

▪ Para proteger su estómago de los ácidos y las úlceras, coma banano.

▪ Algunas personas, bajo control médico, compensan con esta fruta el choque insulínico en pacientes que sufren de diabetes.

▪ Con banano y el ejercicio adecuado, puede aumentar su peso, controlando el desarrollo de sus músculos.

BREVA

▪ Para la salud general de la mujer: licue tres brevas en un vaso de agua o leche y agregue miel de abejas. Esta mezcla se bebe dos veces por semana, una hora antes del desayuno o del almuerzo.

▪ Para la artritis, las enfermedades reumáticas y la gota, algunos recomiendan hacer un jugo licuando las brevas bien maduras. Este debe colarse y beberse fresco y sin azúcar.

▪ Para el dolor de garganta: se hierven dos tazas de agua y se añaden cinco brevas picadas. Se pone a fuego lento por cinco minutos, se tapa y se deja enfriar. Se bebe media taza cada cuatro horas, más o menos.

▪ Para dar alivio a la garganta y los pulmones irritados, necesita cinco y media cucharadas de brevas picadas y dos tazas de agua hirviendo. Las brevas se cocinan a fuego lento en el agua y después se dejan reposar, tapadas, en un lugar fresco. Beba el líquido cada cuatro horas, más o menos.

▪ Para extraer la materia o pus de llagas y forúnculos, ensaye la siguiente receta. Ponga tres o cuatro brevas en una fuente pequeña con tapa, que pueda llevar al horno, y cúbralas con leche. Tape la fuente y póngala en el horno por una hora a temperatura baja

(159 °C). Durante ese tiempo, la fruta absorberá el líquido. Entonces, corte las brevas a la mitad y póngalas directamente sobre el área infectada.

▪ Para dolores causados por la artritis reumática y las lesiones traumáticas (como tobillos torcidos y desgarre de ligamentos), ponga a cocer seis brevas en dos y media tazas de agua hirviendo. Cuando estén cocidas (lo que tomará unos cuantos minutos), macháquelas para hacer una cataplasma que aplicará en la zona adolorida. Para que el calor no escape, coloque una toalla, relájese y disfrute del alivio. Deje puesta la cataplasma por media hora.

CACAHUETE

◻ Las nueces son un alimento rico en boro, un oligoelemento que parece tener efecto sobre la actividad eléctrica del cerebro. 3 1/2 onzas (2 mg) de maní y un par de manzanas al día son suficientes para proporcionar una dosis adecuada.

◻ Los alimentos ricos en boro contribuyen a aumentar el estrógeno en el organismo. Las mujeres que están en la etapa postmenopáusica pueden subir el nivel de esta hormona comiendo diariamente 3 1/2 onzas de maní y dos manzanas.

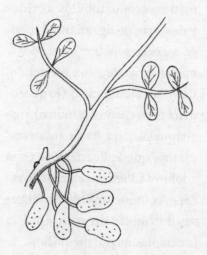

CACAO

◻ Para suavizar la piel madura, reseca y de apariencia desgastada, prepare esta mascarilla: mezcle dos tazas o menos de cacao en polvo (cocoa) con crema de leche y un poco de aceite de oliva. Calcule usted mismo las cantidades de estos últimos ingredientes. La idea es obtener una consistencia pastosa (que no chorree ni sea rígida) similar a la de las mascarillas de arcilla, para que sea de fácil aplicación.

CAQUI

◻ Para combatir el malestar producido por el exceso de alcohol y el consumo de mariscos en mal estado, pruebe la siguiente receta. Necesita medio litro de agua, media taza de caquis sin pelar, maduros y picados, y una y media cucharada de hierba de marrubio fresca o seca, picada. Ponga a hervir el agua y añada los demás ingredientes. Tape el recipiente y retírelo del fuego. Deje reposar por 40 minutos, cuele y beba la infusión.

- La irritación de la garganta causada por el resfriado común puede ser aliviada con un jugo de caqui maduro en tres y media tazas de agua tibia. El líquido se usa en gargarismos.

CEREZA

- Aunque no hay explicación científica para ello, muchos testimonios indican que comer cerezas oscuras o rojas (entre quince y 25 diarias al principio y diez después) resulta útil para aliviar o curar la gota.
- Beber varias dosis de jugo de cereza al día es recomendable para las personas que sufren de reumatismo.

CHONTADURO

- Para la debilidad de todo tipo, cocine entre 80 y 200 g de la fruta. Triture la pulpa y mézclela con miel de abejas. Consuma esta especie de compota en ayunas por quince días. También puede licuar la pulpa cocida con agua y azúcar o miel para obtener un nutritivo jugo que debe servirse bien frío.

CIRUELA

- Como laxante: tome dos o tres ciruelas pasas y déjelas en remojo en un vaso con agua durante la noche. Beba el líquido en ayunas. Fresca o deshidratada, la ciruela es recomendable para los niños y mujeres embarazadas que tienen problemas de estreñimiento.

▫ Para el estreñimiento, combine 6 onzas de jugo de ciruelas pasas con 3 onzas de jugo de limón y 7 onzas de jugo de zanahoria.

▫ Las manchas de la piel pueden llegar a eliminarse por completo con este jugo: 4 onzas de jugo de ciruelas pasas mezcladas con 12 onzas de jugo de zanahoria.

Coco

▫ Para desparasitar: mezcle medio vaso de leche de coco con medio vaso de jugo de piña o ananá sin azúcar y beba esta preparación en ayunas durante una semana. No consuma ningún otro alimento o bebida por espacio de dos horas.

Curuba

▫ Para reducir el estrés y bajar de peso: seleccione la fruta y lávela muy bien. Licue con cáscara en poca agua, para obtener un jugo concentrado, y no utilice azúcar. El jugo o sorbete de curuba también es benéfico para las personas que sufren de úlceras y gastritis.

Dátil

▫ Cuando sienta malestar de estómago, coma unos cuantos dátiles o remoje algunos en una taza de agua, caliente por dos minutos y beba el líquido.

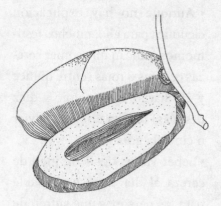

▫ Como laxante: hierva seis dátiles en medio litro de agua por unos minutos. Beba el líquido tibio en la mañana y en la noche. También puede comer, dos veces al día, seis dátiles crudos, seguidos de un vaso de agua tibia.

DURAZNO

- Para hacer una mascarilla facial, triture un durazno (puede ser maduro, enlatado o congelado) y mézclelo con una cucharada de brandy. Deje actuar durante 20 minutos y enjuague con abundante agua.

- Una buena forma de empezar el día es limpiando el cuerpo de los residuos que se acumulan en la noche. Haga un jugo con medio durazno fresco y sin semilla, media pera y un membrillo, todos con cáscara y bien lavados. Si en lugar de agua pura usa agua mineral fría, obtendrá un refrescante coctel matutino.

FRAMBUESA

- En Estados Unidos, algunas madres mormonas utilizan las hojas de esta fruta para agilizar el parto. Para ello preparan un té del cual beben una taza al día durante los nueve meses, y cuatro tazas bien fuertes antes de ingresar al hospital. La infusión se prepara con cuatro tazas de agua hirviendo a las que se le añaden seis cucharadas de hojas de frambuesa secas o frescas. El agua debe haber sido retirada del fuego antes de echar las hojas, que se dejan en remojo 40 minutos. El té se bebe frío.

GRANADA

- Las semillas de esta fruta contribuyen a expulsar los parásitos. Seque las semillas de siete a nueve granadas al sol o en el horno. Macháquelas hasta convertirlas en polvo y mezcle una cucharada de este con 6 onzas de jugo de piña sin dulce. Beba esta mezcla tres o cuatro veces al día con el estómago vacío. Una recomendación: tenga paciencia al secar las semillas, esto puede demandar varias horas.

GUAYABA

• Para aliviar la congestión de los pulmones y la garganta producida por el resfriado común, es muy recomendable un jugo fresco hecho con esta fruta y mango fresco. Bébalo poco a poco.

KIWI

• Para las personas que sufren de presión alta, es bueno comer dos o tres kiwis cada dos días.
• Comer uno o dos kiwis después de una comida pesada ayuda a aliviar la acidez estomacal.
• Gracias a su alto nivel de potasio (un fruto tiene más de 250 mg), esta fruta es un buen diurético. Incluirla en la dieta ayuda a eliminar el exceso de sodio en el organismo.

KUMQUAT

• Parece ser que estas naranjitas ayudan a las personas que tienen la presión sanguínea alta. Basta comer un par de ellas cada noche después de cenar.
• Aquellos que sufren sobrepeso pueden comer kumquats (pulpa y cáscara) para satisfacer su ansiedad.

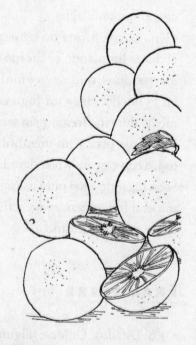

LIMA

• Para mejorar la digestión y evitar los gases, cocine la cáscara de lima en agua y bébala como un té.

▪ Quienes sufren de gota pueden utilizar la siguiente preparación: se licua una lima (incluida la cáscara) sin semillas, en un vaso de agua pura. Este jugo puede colarse, si se quiere, y se bebe por diez días, una hora y media antes del desayuno.

▪ Algunas comunidades del Caribe usan el jugo de lima para aliviar los dolores de muela. Se empapa una mota de algodón con el jugo fresco y se coloca en el sitio afectado.

▪ Para bajar la fiebre, pruebe esta original y refrescante combinación: zumo de lima con soda.

▪ Las personas a quienes les sangran las encías después de cepillarse los dientes, pueden ensayar la siguiente receta. Corten la cáscara del limón y froten las encías con la parte interior blanca durante unos minutos cada día. Esperen algunos días para observar los resultados.

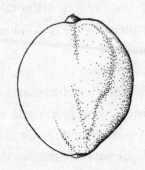

LIMÓN

▪ Para padecimientos de la garganta, se aconseja hacer gárgaras cada dos horas con zumo de limón diluido en agua tibia.

▪ Para depurar el organismo y bajar de peso, simplemente utilice limonada con y sin azúcar, según el caso.

▪ Como amigo de la belleza, el limón tiene varias aplicaciones. Para retirar el maquillaje, se utiliza en rodajas. Cuentan que las modelos famosas cargan entre sus carteras limones y los utilizan como tónico facial simplemente cortándolos y aplicándolos directamente en la cara, para remover los residuos de jabón, hidratantes y aceites.

ⁿ Masque la cáscara de esta fruta para eliminar el mal aliento que dejan alimentos como el ajo y la cebolla.

MANDARINA

ⁿ Una infusión o té de la cáscara de esta fruta es excelente para aliviar los dolores corporales producidos por los resfriados o la fiebre.

ⁿ El mal aliento que dejan las comidas muy condimentadas y alimentos como el ajo y la cebolla, puede ser eliminado masticando cáscaras de mandarina.

MANGO

ⁿ Para los bronquios, A. R. Morales recomienda el siguiente remedio: en una sartén limpia y libre de grasa se ponen rebanadas de mango, se agregan dos cucharadas de miel y se lleva al fuego. El jugo de la fruta, mezclado con la miel, se convierte en una especie de jarabe que debe consumirse a medida que va apareciendo. Las rebanadas de mango deben comerse al tiempo que la miel.

MANZANA

ⁿ Para combatir la colitis, aumente el consumo de salvado y beba esta preparación: 10 onzas de jugo de manzana mezcladas con 6 onzas de jugo de zanahoria.

ⁿ El estreñimiento puede ser superado con este jugo: una taza (8 onzas) de jugo de manzana mezcladas con igual cantidad de jugo de zanahoria. Otra manera de combatir este padecimiento es comiendo una manzana horneada por la noche y otra con el desayuno.

▫ Para la diarrea, ralle una fruta madura y deje la pulpa a temperatura ambiente hasta que se oscurezca completamente (puede tomar horas). La pectina oxidada que se encuentra en la manzana alivia este mal y es la base de muchos medicamentos.

▫ Beber dos tazas (16 onzas) de jugo de esta fruta al día, permite combatir las afecciones del hígado. Esta misma cantidad es útil para eliminar las manchas de la piel.

▫ Darles a los niños una o dos tajadas de manzana después de cada comida, reduce la caries.

MELÓN

▫ Esta fruta es diurética y contribuye a superar el estreñimiento. Simplemente coma 1/4 de melón o 1/2 sin acompañamiento; esto debe provocar, unas horas después, una discreta evacuación.

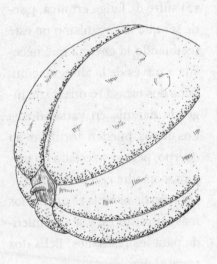

MORA

▫ Las moras frescas tienen efecto laxante en algunas personas.

NARANJA

▫ Si tiene el colesterol alto, dos vasos de zumo de naranja al día y una caminata de media hora tres veces a la semana le ayudarán a bajarlo. Asegúrese de comer las membranas y la parte blanca de la naranja, que contiene la pectina.

• Si sufre de fatiga crónica, puede ser que su organismo no esté recibiendo la energía que necesita a través de la alimentación. Beba dos tazas (16 onzas) de jugo de naranja en varias dosis. Los jugos pueden fortificar su cuerpo, pero si su estado no mejora, consulte con su médico.

• El jugo de naranja es uno de los más refrescantes, y se recomienda para los resfriados. Beba dos tazas al día.

NUEZ DEL BRASIL

• Es rica en selenio, que aleja la tristeza. Basta una sola de estas nueces para garantizar que no haya deficiencia de dicho mineral, pues contiene cerca de 2.500 veces más que cualquier otra nuez. Sin embargo, no se debe abusar de la cantidad, pues el selenio puede llegar a ser tóxico.

PAPAYA

• Para el catarro crónico, ensaye el siguiente jugo: una taza (8 onzas) de jugo de papaya, media taza (4 onzas) de jugo de piña y media taza (4 onzas) de jugo de toronja.

• Para combatir la colitis, aumente el consumo de salvado y beba dos tazas (16 onzas) de jugo de papaya.

• Para la diarrea, beba esta mezcla: una taza (8 onzas) de jugo de papaya con una taza (8 onzas) de jugo de piña.

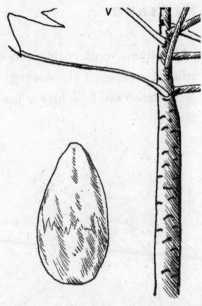

PERA

- Un delicioso tónico para fortalecer las constituciones débiles y los sistemas digestivos delicados, tiene entre sus ingredientes esta fruta. Para prepararlo necesita varias peras y membrillos maduros. Después de retirarles el corazón y las semillas, pique las frutas, póngalas en la licuadora con tres tazas de jugo de zanahoria y licue a velocidad media. Este magnífico tónico se toma, frío, en la mañana y en la noche. Procure beber 8 onzas (259 ml).

- Para purificar y dar descanso al organismo, por un día coma únicamente papaya.

- Los eccemas son más un síntoma de que algo no anda bien, que una enfermedad. Es frecuente que sean producidos por estrés, alcohol o una mala dieta. Intente beber 12 onzas de jugo de papaya al día.

- Para hidratar la piel, utilice la cáscara bien limpia con algo de pulpa, déjela en el rostro unos minutos y lávese muy bien con un jabón suave y abundante agua.

PIÑA

- Los cálculos biliares pueden ser combatidos con el siguiente remedio: un vaso de jugo de piña mezclado con medio vaso de aceite de oliva. Esta preparación, que sintetiza los alimentos del Nuevo y el Antiguo Continente, se bebe en la mañana y en la noche.

▫ Para disminuir la mucosidad que produce la bronquitis, pruebe beber una taza (8 onzas) de jugo de piña. Haga gárgaras con el jugo y luego tráguelo poco a poco.

▫ Algunas personas tratan los trastornos de la circulación con la siguiente combinación: 10 onzas de jugo de piña, 3 de jugo de toronja y 3 de jugo de papaya.

▫ Para elaborar un astringente, se macera la cáscara en agua con panela.

▫ El jugo de esta fruta se puede utilizar como limpiador natural del maquillaje.

▫ Dejando fermentar la piña con azúcar se obtiene una bebida diurética de buen sabor.

▫ Para el resfriado común, mezcle 10 onzas de jugo de piña con 6 onzas de jugo de toronja.

▫ Las abuelas utilizaban este jugo para remediar la resequedad de las mucosas: una taza (8 onzas) de jugo de zanahoria, media taza (4 onzas) de jugo de piña y la misma cantidad de jugo de papaya.

PLÁTANO

▫ El plátano verde cocido contribuye a proteger el estómago de males como la acidez y las úlceras.

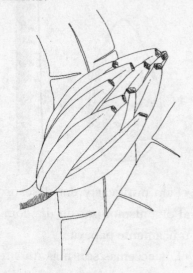

POMELO

▫ Para favorecer el corazón se come la pulpa de esta fruta, ojalá con las membranas que separan los gajos y la parte interna de la cáscara. Como la pectina reside en las paredes celulares, para reducir el colesterol es necesario comer la pulpa. El solo jugo no tiene estos efectos.

• Para el asma, pruebe beber diariamente dos tazas (16 onzas) del jugo de esta fruta.

• Si sufre de fatiga crónica, puede ser que su organismo no esté recibiendo la energía que necesita a través de la alimentación. Beba dos tazas (16 onzas) de jugo de pomelo en varias dosis. También puede combinar las frutas así: una taza (8 onzas) de jugo de toronja, 2 onzas de jugo de limón y 6 onzas de jugo de naranja. Los jugos pueden fortificar su cuerpo, pero si su estado no mejora, consulte con su médico.

SANDÍA

• Comer una tajada de esta fruta inmediatamente después de un plato de fríjoles casi siempre alivia o reduce los gases que estos producen.

• Algunas comunidades del Caribe utilizan esta receta para expulsar diversos parásitos intestinales: se machacan un poco las semillas recién sacadas de la fruta y se hierven a fuego lento por 45 minutos (seis cucharadas de semillas en 1/4 de galón o un litro de agua caliente). Este líquido se cuela y se bebe por lo menos tres veces al día (una taza a la vez).

TAMARINDO

• En algunas comunidades de las Indias Occidentales se utiliza esta fruta para bajar la fiebre. La pulpa madura de dos frutas (sin semillas) se mezcla con dos tazas de agua helada y una cucharadita de azúcar blanca (también se puede usar miel).

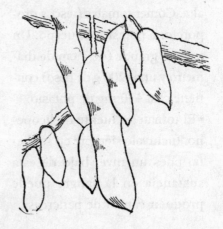

TOMATE

▪ Para las alergias: combine una taza y media (8 onzas) de zanahoria y la misma cantidad de jugo de tomate.

▪ Es conocido que el potasio tiene una influencia benéfica sobre los riñones; por lo tanto, en muchos casos, puede reducir notablemente la presión sanguínea alta. Comer tomates frescos proporciona potasio al cuerpo. Un tomate grande (de 7 cm de diámetro y unos 200 g de peso) contiene casi 450 mg de potasio.

▪ El tomate es fuente de licopeno. Inclúyalo siempre en su dieta, pues un nivel bajo de esta sustancia en la sangre puede producir cáncer de páncreas.

▪ Beba una taza de jugo de tomate diariamente. Contiene 536 mg de potasio y, por lo tanto, puede reducir en 40% las probabilidades de sufrir accidentes cerebrovasculares.

UCHUVA

▪ Algunas mujeres han logrado bajar de peso comiendo 20 uchuvas diariamente, en ayunas.

UVA

▪ De las uvas verdes (sin semilla) se puede obtener un buen tónico facial para la piel seca y sensible. Simplemente se cortan por la mitad y se exprime lentamente el jugo sobre los labios y debajo de los párpados. También es útil frotar un poco de jugo en las comisuras de los labios. Esta receta se usa para combatir las famosas patas de gallo y las arrugas alrededor de la boca. Otra posibilidad: córtelas en forma de X, aplástelas sobre la piel y déjelas por 20 minutos.

▫ El vino se conoce como un aliado del corazón. Para que tenga efectos terapéuticos, el consumo de alcohol, especialmente de los vinos tintos y blancos, debe ser moderado (2 onzas o 1/4 de taza al día). Una cantidad menor no da resultado, y una mayor puede ser dañina para la salud. Beber una copa de vino con las comidas puede ser una buena idea. Si desea que la bebida sea menos alcohólica, mézclela con soda en partes iguales.

▫ Un poco de vino tinto (no blanco) al día puede adelgazar la sangre y actuar como anticoagulante. Se cree que el principal elemento anticoagulante del vino es el resveratrol.

UVAS PASAS, DÁTILES O HIGOS

▫ Para hacer una cura con una de estas frutas, o con todas ellas, requiere 60 g de fruta y medio litro de agua. Hierva hasta obtener un líquido no muy concentrado. Este té es pectoral y eficaz para tratar la tos y las inflamaciones leves del aparato respiratorio

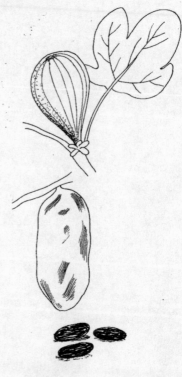

Guía de padecimientos y partes del cuerpo

GUÍA DE PADECIMIENTOS Y PARTES DEL CUERPO

El siguiente listado es una guía para que el lector encuentre más fácilmente la fruta de su interés. Está ordenado alfabéticamente e incluye enfermedades y partes del cuerpo. Debe utilizarse como una forma de encontrar rápidamente la información, y no como un resumen de los males y sus tratamientos.

ABSCESOS
Cereza

**ACCIDENTES
CEREBROVASCULARES**
Albaricoque
Cereza
Ciruela
Durazno
Fresa
Guayaba
Kiwi
Lima
Limón
Mandarina
Mora
Naranja
Papaya
Pera
Piña
Pomelo
Sandía
Tomate

ACIDEZ ESTOMACAL
Aceituna
Banano
Granadilla
Gulupa

Kiwi
Lima
Papaya
Piña
Plátano

**ACIDEZ ESTOMACAL,
PROMOTOR DE**
Durazno

ÁCIDO ÚRICO
Fresa
Maracuyá

ACTIVADOR BILIAR
Aceituna

ACTIVADOR HEPÁTICO
Aceituna
Fresa

AFECCIONES DE LA BOCA
Arándano
Aguacate
Guayaba
Mango

AFECCIONES DEL BAZO
Borojó

AFECCIONES PULMONARES
Borojó
Breva
Coco

AFECCIONES URINARIAS
Maracuyá

ALERGIAS
Tomate

ANCIANOS
Anón
Badea

ANEMIA
Albaricoque
Anón
Avellana
Chirimoya
Chontaduro
Limón
Mora
Naranja

ANTIBILIOSO
Guanábana

ANTIBIÓTICO
Limón

ANTICONCEPTIVO
Papaya

ANTIINFECCIOSO
Albaricoque

ANTISÉPTICO
Limón

ANTISÉPTICO INTESTINAL
Almendra

ANTISÉPTICO URINARIO
Almendra
Arándano

ANTIVIRAL
Arándano
Manzana

APENDICITIS
Tomate

APETITO
Albaricoque
Almendra
Membrillo
Níspero
Tomate

APETITO, ESTIMULANTE DEL
Albaricoque
Melón

APOPLEJÍA
Melón

ARTERIOSCLEROSIS
Cereza
Pomelo

ARTICULACIONES
Aguacate

ARTRITIS
Breva
Dátil
Grosella
Melón
Sandía

ASMA
Higo chumbo
Pomelo

ASPIRINA NATURAL
Ciruela

ASTRINGENTE DEL ESTÓMAGO
Albaricoque
Icaco

AZÚCAR, PROBLEMAS DE
Agraz

BRONQUIOS
Cacao
Higo chumbo
Mango
Piña

CABELLO
Aceituna
Aguacate
Breva
Chontaduro
Feijoa
Manzana
Zapote

CÁLCULOS BILIARES
Piña

CÁLCULOS DEL RIÑÓN
Arándano

CÁLCULOS HEPÁTICOS
Níspero

CÁLCULOS NEFRÍTICOS
Níspero

CALMANTE
Cacao

Curuba
Melón
Naranja

CÁNCER
Albaricoque
Cereza
Durazno
Fresa
Guayaba
Kiwi
Lima
Limón
Mandarina
Mango
Melón
Naranja
Papaya
Tomate
Uva

CANSANCIO
Aguacate
Higo chumbo
Plátano

CARIES
Manzana
Uva

CATARRO
Mango
Papaya

CEREBRO
Maní

CIÁTICA
Piña

CIRCULACIÓN
Piña

CRECIMIENTO
Almendra
Níspero

CISTITIS
Arándano

COLESTEROL
Aceituna
Aguacate
Albaricoque
Grosella
Manzana
Naranja
Nuez
Nuez del Brasil
Pera

Pomelo
Zarzamora

COLITIS
Manzana
Papaya

COLON
Frambuesa
Guanábana
Mandarina
Mango
Piña

CONTUSIONES
Anón

CONVALECENCIA
Dátil
Piña

CORAZÓN
Cereza
Durazno
Frambuesa
Fresa
Granada
Guayaba
Kiwi
Lima
Limón

Mandarina
Mango
Manzana
Melón
Mora
Naranja
Papaya
Pomelo
Uva
Zarzamora

DEBILIDAD
Chontaduro
Coco
Piña
Pera

DEFENSAS DEL ORGANISMO
Badea
Cereza
Tomate de árbol

DEPRESIÓN
Banano
Piña

DEPURADORES
Ciruela
Durazno
Fresa

Limón
Mora
Plátano
Piñuela
Pitahaya

DESGARRES MUSCULARES
Borojó

DESHIDRATACIÓN
Lima

DESNUTRICIÓN
Almendra
Anón
Chirimoya
Chontaduro
Dátil

DIABETES
Banano
Fresa
Manzana
Melón

DIARREA
Aguacate
Granada
Guayaba
Manzana

Membrillo
Mora
Papaya

DIENTES
Fresa
Lima
Mango
Marañón

DIFTERIA
Borojó

DIGESTIÓN
Babaco
Chirimoya
Corozo
Durazno
Guanábana
Lima
Membrillo
Naranja
Papaya
Papayuela
Piña
Pomelo
Tomate

DISENTERÍA
Marañón
Plátano

DIURÉTICO
Badea
Cereza
Frambuesa
Fresa
Kiwi
Mamoncillo
Melón
Mora
Papaya

DOLOR DE CABEZA
Aguacate

DOLORES CORPORALES
Mandarina

EMBARAZO
Durazno
Frambuesa
Granadilla

ENCÍAS
Aguacate
Guayaba
Limón

ENERGÍA
Almendra
Árbol de pan
Avellana

Cacao
Castaña
Ciruela
Dátil
Durazno
Lulo
Macadamia
Maní
Manzana
Nuez del Brasil
Papaya
Plátano
Tomate
Uva

ESCORBUTO
Guanábana
Limón
Mango
Naranja
Pomelo

ESTÓMAGO
Badea
Banano
Borojó
Dátil
Icaco
Mango

ESTREÑIMIENTO
Borojó
Ciruela
Dátil
Durazno
Granadilla
Guanábana
Gulupa
Higo chumbo
Limón
Manzana
Melón
Papaya
Pitahaya
Sandía
Tamarindo

ESTRÉS
Curuba
Papaya

EXCESO DE ALCOHOL
Aceituna
Caqui
Papaya

FATIGA CRÓNICA
Naranja
Pomelo

FIEBRE
Grosella
Lima
Maracuyá
Mora
Naranja
Piña
Pomelo
Tamarindo
Uva

FLORA INTESTINAL
Guanábana

FORÚNCULOS
Banano
Breva
Tomate

GARGANTA
Breva
Caqui
Guayaba
Limón

GASES
Lima
Sandía

GASTRALGIA
Granadilla

GASTRITIS
Fresa

GLÁNDULAS ENDOCRINAS
Fresa

GOTA
Cereza
Dátil
Fresa
Grosella
Guanábana
Lima
Melón
Naranja
Piña
Uva

HEMORROIDES
Melón

HERIDAS
Guayaba
Limón
Tomate

HÍGADO
Borojó
Fresa
Limón

Manzana
Maracuyá
Membrillo
Papaya
Uva

INDIGESTIÓN
Aceituna
Naranja
Pomelo
Uva

INFECCIONES
Cereza
Durazno
Fresa
Guayaba
Kiwi
Lima
Limón
Mandarina
Mango
Melón
Naranja
Papaya
Pomelo
Zarzamora

INFLAMACIONES
Piña

INSOMNIO
Curuba
Dátil
Manzana
Naranja

LACTANCIA
Almendra
Sandía

LAXANTE
Aguacate
Cereza
Ciruela
Dátil
Durazno
Frambuesa
Fresa
Maracuyá
Mora
Tamarindo

LECHE, SUSTITUTO DE LA
Almendras
Maní

LEPRA
Borojó

LESIONES
Breva

LIGAMENTOS
Breva

LÍQUIDOS, PÉRDIDA DE
Níspero

LÍQUIDOS, RETENCIÓN DE
Higo chumbo
Melón
Sandía

LLAGAS
Banano
Breva
Tomate

MAL ALIENTO
Mandarina
Naranja

MEMORIA
Cereza
Chontaduro
Coco
Piña

MENOPAUSIA
Ciruela
Fresa
Pera
Piña

MENSTRUACIÓN
Aguacate
Breva
Coco
Grosella

MUCOSAS
Piña

MÚSCULOS
Albaricoque
Mandarina

NEUMONÍA
Naranja

NIÑOS
Almendra
Anón
Badea
Banano
Durazno
Granadilla
Guanábana
Guayaba
Lulo
Mango
Manzana
Melón
Papaya
Pera

Tomate de árbol
Uva

NUTRICIÓN
Aguacate
Almendras
Babaco
Borojó
Cacao
Caqui
Castaña
Chirimoya
Chontaduro
Guayaba
Macadamia
Plátano

ORINA
Arándano
Fresa
Melón
Pomelo
Uva

OSTEOPOROSIS
Breva
Mamey

PARÁSITOS
Coco
Granada

Mango
Papaya
Piña
Sandía

PARTO
Breva
Frambuesa

PESO, EXCESO DE
Curuba
Guanábana
Kumquat
Lima
Limón
Naranja
Papaya
Piña
Pitahaya
Pomelo
Uchuva
Uva

PESO, SUBIR DE
Banano
Higo chumbo
Nuez

PIEL
Aceituna
Albaricoque

Banano
Breva
Cacao
Cereza
Ciruela
Coco
Durazno
Feijoa
Frambuesa
Fresa
Grosella
Guayaba
Lima
Limón
Marañón
Melón
Naranja
Papaya
Piña
Pomelo
Sandía
Uva

PIORREA
Limón
Naranja
Piña
Pomelo

POSTMENOPAUSIA
Almendra

PRESIÓN ARTERIAL
Albaricoque
Ciruela
Durazno
Fresa
Grosella
Higo chumbo
Kiwi
Kumquat
Lima
Limón
Mandarina
Mango
Manzana
Maracuyá
Melón
Naranja
Papaya
Pera
Piña
Pomelo
Sandía
Tomate
Tomate de árbol
Zarzamora

PRÓSTATA
Maracuyá
Pera
Sandía

PULMONES
Breva
Guayaba

PURGANTE
Pitahaya

PURIFICADORES
Cereza
Higo chumbo
Limón
Mora
Papaya
Pitahaya

QUEMADURAS
Aceituna
Banano

RECONSTITUYENTE
Almendra
Maní

RESFRÍO
Aguacate

Grosella
Limón
Mandarina
Naranja
Piña
Pomelo

RESPIRACIÓN
Aguacate

REUMATISMO
Cereza
Dátil
Fresa
Guanábana
Melón
Naranja
Uva

RIÑÓN
Durazno
Fresa
Higo chumbo
Limón
Papaya
Sandía
Tomate

SANGRE
Frambuesa

Grosella
Higo chumbo
Limón
Manzana
Melón
Nuez
Papaya
Zarzamora

SARRO
Fresa

SEDANTE/RELAJANTE
Badea
Curuba
Mandarina
Maracuyá
Naranja

SISTEMA DIGESTIVO
Granadilla
Lima
Membrillo
Papaya
Pera
Piñuela

SISTEMA ENDOCRINO
Fresa

SISTEMA INMUNOLÓGICO
Grosella

SISTEMA NERVIOSO
Avellana
Cereza
Coco
Curuba
Dátil
Fresa
Grosella
Melón

TEJIDOS BLANDOS
Breva

TEJIDO NERVIOSO
Albaricoque

TIROIDES
Fresa
Pomarrosa

TORCEDURAS
Breva

TOS
Limón

TRISTEZA
Nuez del Brasil

TROMBOFLEBITIS
Guama

ÚLCERAS
Aceituna
Banano
Granadilla
Guayaba
Papaya
Plátano

ÚLCERAS PÉPTICAS
Badea

UÑAS
Manzana

VASOS SANGUÍNEOS
Manzana

VERMÍFUGO
Guanábana
Guayaba

VEJIGA
Arándano
Coco
Frambuesa
Maracuyá
Mora
Sandía

VÍAS BILIARES
Fresa

Manzana
Uva

VIRUS
Arándano
Frambuesa

VISIÓN
Albaricoque
Uchuva

GLOSARIO

Acorazonada: hoja en forma de corazón.

Alterna: hoja dispuesta de manera alternada a una y otra parte del eje.

Ápice: extremo superior o punta de la fruta opuesta a su base.

Arilo: envoltura comestible de algunas semillas.

Articulado: tallo u otro órgano que presenta coyunturas en los segmentos superpuestos.

Aserrados: entrantes y salientes agudos, pequeños y de igual forma que se presentan en los bordes de las hojas, los pétalos y los sépalos.

Astringente: contrario de laxante.

Axila: Fondo del ángulo que forma el peciolo de la hoja cuando está unido a la rama.

Baya: fruto cuyas partes externa e interna (exocarpio y endocarpio) son membranosas, y cuya parte media (mesocarpio) es carnosa o jugosa y está provista de semillas en abundancia.

Betacaroteno: nombre que recibe la vitamina A que proviene de fuentes vegetales.

Cáliz: envoltura más externa de la flor, formada por piezas libres o soldades.

Carpelo: cada una de las partes que conforman un fruto múltiple.

Cataplasma: pasta medicinal que se aplica sobre partes del cuerpo.

Cazabe: torta de harina de mandioca.

Celulosa: cuerpo sólido, blanco e insoluble en agua, que forma la membrana envolvente de las células vegetales.

Chicha: bebida andina de vegetales fermentados.

Clones: individuos que resultan de la multiplicación asexual de un individuo original.

Compuesta: hoja subdividida en hojitas independientes.

Corola: envoltura interna de la flor, que presenta colores llamativos. Su textura es más fina que la del cáliz.

Cultivada: variedad obtenida mediante cultivo.

Drupa: fruto indehiscente cuya parte externa es membranosa, su parte mediana carnosa y suculenta y su parte interna leñosa. Esta última forma el hueso de la fruta, que contiene una semilla (cereza, melocotón) o varias (níspero).

Elíptica: hoja cuya parte más ancha está cerca al pedúnculo.

Emético: que produce náusea.

Emplasto: tópico que se extiende sobre un lienzo y se aplica en la parte enferma.

Envés: parte de la hoja opuesta a la cara más visible.

Enzima: fermento soluble.

Epicarpio: epidermis de la fruta.

Estambre: órgano masculino de la flor.

Estigma: parte del pistilo destinada a recibir el polen.

Estilo: parte intermedia del pistilo, que sostiene el estigma.

Estrógeno: una de las dos hormonas sexuales femeninas.

Exocarpo: cuerpo exterior del pericarpio.

Fécula: sustancia blanca, en forma de polvo, que se extrae de las semillas y raíces de ciertas plantas.

Fructosa: azúcar de las frutas.

Glucosa: azúcar que se halla disuelto en muchas frutas, en el plasma sanguíneo normal y en la orina de los diabéticos.

Herbáceas: plantas que tienen la misma naturaleza de la hierba.

Hueso: parte dura interior que contiene la semilla de algunas frutas (por ejemplo, el melocotón).

Inflorescencia: conjunto de flores no aisladas, sino agrupadas sobre las ramificaciones de la planta.

LAD: lipoproteínas de alta densidad.

Lanceolada: hoja cuya forma semeja una lanza.

Látex: líquido lechoso que mana de algunas plantas.

LBD: lipoproteínas de baja densidad.

Mamiforme: que tiene forma de mama o teta.

Marchitar: término con el cual se indica que un fruto o flor está comenzando a descomponerse, lo que hace que cambie de color.

Mesocarpio: parte intermedia del pericarpio en los frutos carnosos.

Nervaduras: conjunto y disposición de los nervios en la hoja.

Nutrimento: componente nutritivo o alimenticio.

Oblonga: hoja que es más larga que ancha.

Opuestas: hojas que se encuentran de dos en dos en cada nudo, una frente de la otra.

Ovalada: hoja en forma de cuchara, es decir, que su parte más ancha está próxima a la "punta" (aunque curiosamente no tienen punta).

Peciolo: pezón o rabillo de la hoja.

Pectina: junto con la celulosa, es un componente de la membrana celular de muchas plantas.

Pedunculado: con pedúnculo.

Pedúnculo: eje que une la flor a la rama o a la inflorescencia.

Perenne: árbol que mantiene las hojas todo el año.

Pericarpio: parte exterior de la fruta, que cubre la semilla

Periforme: en forma de pera.

Pinnada: es la hoja que presenta folíolos u hojuelas.

Pistilo: aparato femenino de la flor.

Polen: pequeños cuerpos, generalmente amarillentos, que están dentro de las anteras y fecundan los óvulos.

Plasma: parte líquida que se encuentra en la sangre y en la linfa.

Receptáculo: extremo engrosado del pedúnculo, que sostiene los elementos de una inflorescencia.

Rizoma: fruto subterráneo alargado, horizontal u oblicuo, que contiene las sustancias de reserva.

Sépalos: elementos que constituyen el cáliz de una flor.

Tanino: sustancia astringente que se encuentra en ciertas plantas.

Terminal: órgano que se encuentra en el ápice o extremo superior de otro.

Tomento: conjunto de pelos, generalmente ensortijados y juntos.

Tomentoso: órgano que presenta tomento.

Tubérculo: órgano subterráneo en el cual se acumulan sustancias de reserva.

Tubuloso (a): cáliz, corola o cualquier otro órgano cuya forma es cilíndrica.

U.I.: Unidades Internacionales.

Vermífugo: que mata las lombrices intestinales.

Verticilo: conjunto de tres o más hojas, flores u otros órganos, que se presentan en un mismo plano alrededor de un tallo.

BIBLIOGRAFÍA

Allende, Isabel. *Afrodita*. Barcelona, Plaza & Janés Editores, 1997.

Bianchini, F.; Corbetta, F., y Pistoia, M. *Frutos de la tierra*. Barcelona, Editorial Aedos, 1974.

Bremness, Lesley. *Guarda & Scopri Erbe*. Bologna, Fabbri Editori, 1994.

Carper, Jean. *Una farmacia en tu despensa*. Barcelona, Ediciones B, 1997.

Conran, Terence y Caroline. *Libro de cocina*. Barcelona, Círculo de Lectores, 1980.

Córdoba V., José Ángel. "El cultivo del borojó" en *Revista agrícola ESSO*, N° 1, Bogotá, mayo de 1988.

Eisenberg, Arlene; Murkoff, Heidi E., y Hathaway, Sandee E. *El primer año del bebé*. Grupo Editorial Norma, 1991.

González, Mauricio; Molina Luis F., y Sánchez, Gabriel. *Guía de árboles de Santafé de Bogotá*. Bogotá, DAMA, 1995.

Heinerman, John. *Enciclopedia de frutas, vegetales y hierbas*. Prentice Hall, 1998.

Henley, Mark. "Macadamias" en *Association of Societies for Growing Australian Plants*. Charlestown NSW, Australia, 1996.

Instituto Colombiano Agropecuario. *Frutales, Manual de asistencia técnica* N° 4, tomos I y II, Bogotá, 1980.

Irons, Diane. *The World's Best-kept Beauty Secrets*. Sourcebooks, Inc., 1997.

Lambert Ortiz, Elisabeth. *Enciclopedia de las especias*. Madrid, Editorial Raíces, 1993.

Lezaeta Pérez Cotapos, Rafael. *Manual de alimentación sana*. Santiago de Chile, Ediciones Lezaeta, 1972.

Montaña, Antonio. *La dicha de cocinar*. Bogotá, Ediciones Gamma, 1992.

Morales, Albert Ronald. *Frutoterapia*. Bogotá, Ecoe Ediciones, 1998.

Pérez Arbeláez, Enrique. *Plantas útiles de Colombia*. Madrid, Sucesores de Rivadeneyra, 1956.

Romero Castañeda, Rafael. *Frutas silvestres de Colombia*, volumen 1. Bogotá, 1961.

Sarmiento Gómez, Eduardo. *Frutas en Colombia*. Bogotá, Ediciones Cultural Colombiana, 1986.

Seddon, George, y Burrow, Jackie. *El libro guía de la alimentación natural*. Barcelona, Salvat Editores, 1980.

Seddon, George, y Radecka, Helena. *El libro guía del huerto en casa*. Barcelona, Salvat Editores, 1980.

Stoppard, Miriam. *La mujer y su cuerpo*. Buenos Aires, Editorial Planeta Argentina, 1994.

UNED. *Nutrición y dietética*. http://laisla/uned/guianutr

Valencia Echeverri, Claudia. *Aroma y sabor a diversidad*. Carder, Red de reservas naturales de la sociedad civil, F. R. B., Herencia verde.

Villegas, Liliana. *Deliciosas frutas tropicales*. Bogotá, Villegas Editores, 1990.

www.agroguias.com.ar/nutrición.html

www.crfg.org/pubs/ff/lychee.html

www.dpinotes/hortic/tropfruit/h98035.html

www.royalprestige.com/spanish/fruits.html